続・最後の場所

NO.8

題字・組版／梅村城次

『マチウ書試論』をめぐって 7

――《大衆の原型》へ――

菅原則生

「マチウ書試論」のモチーフは何か

「マチウ書試論」（一九五三～五四年稿）の奥底にあるモチーフは何なのだろうか。吉本はそのことについて何度も触れているが、そのひとつを、一九七〇年、東京・南荻窪の教会でおこなった講演「宗教と自立」で述べている。

マタイ伝のなかで主人公が、律法学者パリサイ人に対して〈おまえたちは自分たちが祖先のときにいたならば、かならず正義の士にあるいは正義の思想に与しただろうにというが、しかし、そんなことをいっているおまえたちは、現に正義の士であるわたし自身を迫害しているじゃないか〉といっているでしょう。そしてそういういい方は鋭いわけなんですけれども、いまいったような意味あいで矛盾にたえずさらされているわけです。だから律法学者、あるいはパリサイ人のほうで、〈いやおまえは自分で主観的に義人だ、救世主だと思っているだけで、おまえはただの乞食坊主にすぎないのだ。途方もないことをいって歩いている男にすぎないんだ〉

といえばいえるのです。つまりそういう余地を絶えずもっているのです。だから〈おまえは正義の士じゃあない、おまえなんかを迫害したって、そんなことはなんでもないじゃないか〉と相手はいうことはできるのです。そうしますと、どちらが真理なんだという問いが提出されなくてはなりません。

（「宗教と自立」一九七〇年七月講演）

ローマ帝国とユダヤ旧教が支配し、地域住民がそれを支持しているようにみえる社会で、反逆をこころざす十数人の原始キリスト教の徒党が支配の共同性から追跡され追い詰められてゆく。いつの時代にもある光景だ。〈おまえたちは自分たちが祖先のときにいたならば、かならず正義の士にあるいは正義の思想に与しただろうにというが、しかし、そんなことをいっているおまえたちは、現に正義の士であるわたし自身を迫害しているじゃないか〉というのは、人は遠くにある事象について自分を棚に上げて一般論として正義派ぶることはできるが、現に目の前にいる〈正義の士であるわたし自身〉を抑圧し、死に至らしめようとしている、おまえたちは表向きは正義派として振る舞うが、裏では〈正義の士であるわたし自身〉を隠然と葬ろうとしている偽善の徒にすぎない、救世主であるわたし自身を現に迫害していることが何よりの証拠だ、ということだ。そして、このキリストの主張は、九割九分がた支配の共同性への批判としては正解を指しているようにみえる。つまり、放っておけばそうなるという意味で自然過程でもある、主観としての批判は極限にまで至っているといえる。いいかえれば、追い詰められた者の支配の共同性への批判は、つねにこのパターンをとる。

だが、放っておけば極限までいく、この批判のパターンには疑問がつきまとっている。

ひとつは、極限までいったこの批判する者は、その批判が主観（確信の確信）であるため、死を選ぶか、いつのまにか批判される側の論理に包摂されて、寝返ってしまうほかないということだ。きのうまで鋭い批判者であった者が、ある契機に出あったことを境にして、きょうには手のひらを返して抑圧者に変質してしまう。それがほとんど無自覚のうちに移行する。批判する側の論理もまた、あやうく、いつも矛盾にさらされている。

またひとつは、この正義の士も、党派のひとりとして、目の前にいる他者を知らずしらずに弾圧しているということだ。げんに会計を任されていたとされるユダを裏切り者と呼び自死に至らしめたのは、この党派だ。

もうひとつは、正義の士の極限までいった正義の主張は、おまえはただの〈乞食坊主〉〈暴徒〉にすぎないじゃないかという反批判の論理を超えることができないということだ。正義派の極限までいった批判の心情・論理に対して、おまえたちは〈暴徒〉にすぎないじゃないかという反批判は、ほとんど正しいということをどうすることもできない。

イエスは「暴徒」ではないのか

吉本は「マチウ書試論1」で、十九世紀ドイツの哲学者ドレウスの『キリスト神話』に引用された「ユダヤの歴史家ヨセフスの紀元九〇年ころ」の著書「古代史」の一節を孫引きしている。それを引用してみる。

それはローマの代官の前で行われたアナヌスの子イエスの拷問の件である。逾越節にエルサレムに来たこの男は、丁度福音書のイエスが、エルサレムについて嘆声を発したと同様に、エルサレムを嘆く悲痛の叫びを、街々に響き渡らせた。捕えられ、拷問に依って骨まで肉が裂け爛れても、憐憫を乞わず、また福音書のイエスと同じく、彼を苦しめる者を呪いもせず、流石の代官もこれを気狂い沙汰と考えて、ついに彼を放免した。だがそれから間もなく、この気狂いイエスはエルサレム籠城中のローマ人に殺されてしまった。

（ヨセフス『古代史』）

ドレウスによれば、ヨセフスが書き留めたこの古代の「気狂いイエス」は、マタイ伝やマルコ伝のイエスのたったひとつのモデルとされる。つまり、福音書のイエスは、この「気狂いイエス」のことだったのではないかとされる。だが、吉本は、この「気狂いイエス」が、イエスだったのではなく、現実の混迷のうちで発生した無数の狂信者のひとりであり、福音書の作者は、無数の狂信者から教祖イエスの像をつくりあげたのではないかと書いている。ここでわたしたちにとって大事なのは、イエスが実在したかどうかを探ることではなく、無数の宗教的な狂信は《乞食坊主》《暴徒》を不可避に生み出しただろう、ということだ。

マチウ書はローマのユダヤ総督が、「おまえはユダヤ人の王であるか。」と問うのにたいし、ジェジュが、「おまえの言うとおりだ。」とこたえたと書いている。つづいて、二十七の一五に、「祭ごとに総督は群衆の要求するひとりの囚人を釈放する習わしがあった。」と書き、「かれらは有名なバラバスというひとりの囚人をもっていた。」と書いている。マチウ書によれば、総督は群衆に、ジェジュを赦すか、バラバスを赦すかと問い、群衆はバラバスを赦せとこたえる。ジェジュは十字架にかけられる。マチウの作者はこの当時の伝承的祭礼の習わしを、そのままジェジュの処刑物語にあてはめて構成した。ジェジュとは、バラバスのことであり、バラバスとは祭礼の立役者である。
（「マチウ書試論1」）

吉本はここではっきりと《ジェジュとは、バラバスのこと》であるとかいている。ドレウスによれば、バラバスとは、《貧乏な気の狂った》囚人のことである。

古今東西の諸思想は、二千年前に原始キリスト教が提起したこの問題に触れようとしなかった（触れ得なかった）。吉本は果敢にこの問題に触れ、答えを見いだそうとしたのだといえる。

《関係の絶対性》のなかではイエスもまた「蝮の裔」だ

現代のキリスト教は、貧民と疎外者にたいし、われわれは諸君に同情をよせ、救済をこころざし、且つそれを実践している。われわれは諸君の味方であると称することは自由である。何となれば、かれらは自由な意志によってそれを撰択することが出来るから。しかしかれらの意志にかかわらず、現実における関係の絶対性のなかで、かれらが秩序の擁護者であり、貧民と疎外者の敵に加担していることを、どうすることもできない。加担の意味は、関係の絶対性のなかで、人間の心情から自由に離れ、総体のメカニズムのなかに移されてしまう。(中略)

人間は狡猾な秩序をぬってあるきながら、革命思想を信ずることもできるし、貧困と不合理な立法をまもることを強いられながら、革命思想を嫌悪することも出来る。自由な意志は撰択するからだ。しかし、人間の情況を決定するのは関係の絶対性だけである。ぼくたちは、この矛盾を断ちきろうとするときだけは、じぶんの発想の底をえぐり出してみる。

(「マチウ書試論3」)

《現代のキリスト教》という箇所を、現代の革命思想・革新思想を標榜する有識者と言い換えても同じだ。われわれは困窮者や、秩序から疎外された者に心を寄せ、救済をこころざしていると自称することは自由だ。だが、現実に困窮者の救済者であるかどうかは、まったく別のことだ。自由なる意志とは別に、彼が現実の秩序のなかで、秩序の擁護者、抑圧する者の加担者だということはありうるのだ。彼らの自由なる意志とは別に、彼らの存在は《心情から自由に離れ、総体のメカニズムのなかに移されてしまう》からだ。

虐げられ、追い詰められたイエスが、「蛇よ、蝮の裔よ。予言者を殺し、神から遣わされた者を石で打ち殺す者よ」と主張することは真理か否か。他方で、パリサイ人や律法学者が「おまえは神を冒瀆する者であり、暴徒にすぎない、気狂いだ」と主張することは真理か否か。だが、いずれの主張も、党派的な主観の極限でみずからを正当化しているだけだ。そして、自分たちの意志が自分たちの個々の意志・心情を離れ、《総体のメカニズムのなかに移されて》いることに気づかない。

人間はしばしばじぶんの存在を圧殺するために、圧殺されることをしりながら、どうすることもできない必然にうながされてさまざまな負担を作りだすことができる存在である。共同幻想もまたこの種の負担のひとつである。だから人間にとって共同幻想は個体の幻想と逆立する構造をもっている。

（『共同幻想論 序』一九六八年刊）

ここで提起されている《共同幻想》は、《関係の絶対性》と《総体のメカニズム》という概念の進化形だ。そして、《関係の絶対性》、個体の幻想と逆立する《共同幻想》が視えるということは、同時にそれらの死滅のイメージが視えるということでもあった。

《人間の情況を決定するのは関係の絶対性だけである》という言葉には、なにか重大な《とりかえしのつかないこと》をやってしまったあとの、どこにも還元できない、悔恨のようなものが滲みでている。他者からは視えないが自分にだけ視える精神の血を流しているというような。もちろんそれは、一九四五年八月十五日に吉本の身に起こったことだ。そしてその悔恨・生き恥・汚辱のようなものは、自分が生まれてしまったことにも突き刺さっているようにもみえる。それが《ぼくたちは、この矛盾を断ちきろうとするときだけは、じぶんの発想の底をえぐり出してみる》ということの意味だ。

わたしは《関係の絶対性》を、連合赤軍事件、党派間の内ゲバ、オウム真理教事件などになぞらえて理解しようとした。同時代にいて、彼らのあいだで何が起こっているのか、手に取るようにわかった。あるいは、かつて、わたし自身が党派の一員として、吉本の講演を妨害しようとして壇上に上がった体験になぞらえて理解しようとした。諸個人によってになわれた党派的な非行は、自分たちがむすんだ共同性にがんじがらめになった個人が、自分の主観の極限を正当化しようとして（確信を確信しようとして）《とりかえしのつかないこと》が起こった（起こしてしまった）のだと理解しようとしたとおもう。この「何か」が《関係の絶対性》であり、「自分たちがむすんだ共同性」だというように理解しようとした。

《関係の絶対性》という概念の深まり、変化

けれども、一九七〇年の講演で吉本は《関係の絶対性》についてもっと踏み込んでいる。

そういう党派的な思想――これは、おれは正義だとか、おれは不正義だとか、どっちでもいいわけですけれども、あるいは両方ともが主観的に正義であるとおもっていていいわけですけれども――というものは、どんなに偉大であっても、真理を根柢から支える規準にはならないので、おそらく党派的思想の対立の次元からは真理は即自的にはやってこないだろうと考えたのです。それらの条件を決めるものは、すくなくともその次元あるいは位相にはないあるなにかわからないひとつの客観的な規準であるにちがいないとおもいました。

その客観的な規準とはなんでしょうか？　「マチウ書試論」というマタイ伝について書いた頃、十四、五年前だとおもいますけれど、わたしは「関係の絶対性」という言葉でいったと思うんです。つまり「関係の絶対性」こそが、党派的思想の対立の場面においていずれに真理があるかという問題、あるいはいずれに選択を許さぬ真理があるかという場合、その条件を決するものだと考えたとおもいます。

（「宗教と自立」一九七〇年七月講演）

ここでは、『マチウ書試論』（五三〜五四年稿）での《関係の絶対性》とすこしニュアンスを変えて《関係の絶対性》という言葉をつかっている。『マチウ書試論』では「とりかえしのつかないことをしてしまった」という後悔、時代に対する憤怒、自分に対する憤怒が《関係の絶対性》という言葉に濃く滲みでていたが、この講演では、より対自的、より客観的になっている。つまり、この講演では《関係の絶対性》は、「蝮の裔よ、預言者を打ち殺す者よ」という敵への憎悪を正当化するもの、「確信の極限」を強いてくる何かとして《関係の絶対性》を云っているのではなく、党派的対立を超える《あるなにかわからない客観的な規準》のことを《関係の絶対性》と云おうとしている。つまり、反逆する者の「蝮の裔よ」という主観的な真理も、支配者たちの「おまえは暴徒にすぎない」という主観的な真理も同等の位相にあるものとして捉えられている。

天皇が戦争をやめよといっても継続すべきだと考えていた

一九四四年九月、米沢高等工業学校を繰り上げ卒業、十月、東京工業大学に入学。翌年三月十日、主に墨田、江東、台東区を標的にした東京大空襲に遭う。二時間あまりのうちに十万人が死ぬ。空爆は全国の都市に拡大。三月末、米軍が沖縄に上陸。四月、吉本は学徒徴用で富山・魚津の日本カーバイド工業の工場へ。戦闘機の燃料製造のための中間プラントの建設に携わる。このころ、友人にあてた遺書ともみえる「雲と花との告別」を書く。

雲「俺はともかくも　ひとすぢのみちをゆくだろう　蒼い深い空の果てに　おれが西の方へ走つて行くのを見たら　おれはみづいろのネハンの世界を求めて行くのだと思つてくれ　又東の方の日輪のくるくる廻つてゐる辺りに　おれが蒼白い曙の相をしてゐるとき　おれは　おれたちの遠い神々を尋ねてゆくのだと思つてくれ」

花「おれはこの季節が終ればもうこの世界から別れやうとする　おれはおれの生まれたところで死なうと思ふ　この宇宙がある限り　この季節になると　おれのゐた茶黒い土からは　生れてくるものがあるだらう　誰が何といってもそれはおれの再生ではない　誰か見知らぬ奴なのだ　けれどおまへが　何日の日か　その土地に戻つて来て　雨を注いでくれたら　矢張りおれは嬉しいと思ふ　おれたちは結局すべてのものの幸のために生命を捨てるのだ」

（「雲と花との告別」）

七月、アメリカ、イギリス、中華民国による、日本に降伏を勧告するポツダム宣言が発表される。鈴木貫太郎首相は戦争継続を表明。八月には広島、長崎に原子爆弾が投下され、ソ連軍が宣戦を布告して満洲に進攻する。

わたしは、徹底的に戦争を継続すべきだという激しい考えを抱いていた。

死は、すでに勘定に入れてある。年少のまま、自分の生涯が戦火のなかに消えてしまうという考えは、当時、未熟なりに思考、判断、感情の全てをあげて内省し分析しつくしたと信じていた。もちろん、死の論理づけができないでは、それを肯定することができなかったからだ。死は怖ろしくはなかった。

（『高村光太郎』「敗戦期の問題」一九五五年初出）

一九四五年八月十五日、吉本は学徒動員先の富山の軍需工場の広場にいて、天皇の敗北宣言を聞く。

時間が停止した。頭のなかで世界は、白い膜を張られた空白になっていった。その時間が過ぎるとわたしは独りで寮に戻ってしまった。

部屋に戻ってとめどもなく泣いていると、異様におもった寮の小母さんが《喧嘩をしたか、寝てなだめるのがいい》という意味のことを言って、真昼間だというのに蒲団を敷いてくれたのを覚えている。もちろん、そのときわたしはもっと喧嘩したかったのに、誰かに止められたのであったろう。あるいは水さかずき、白装束、死ぬ気で鉄火場に出かけたつもりなのに、巧くかわされて生き恥をさらしたと行った心境かもしれなかった。

子どものときとおなじように、しばらく泣き寝入りして眼を覚ますと、いつものように港の突堤に出て、波に身をまかした。どこまでも泳いで行きたかった。その日から外見はひとたちと一緒に笑い、造りかけた中間プラントを壊し、データの書類を焼き、工場の石炭運びを手伝うなどといった後始末の作業をしながら、心のなかは生きていることの恥ずかしさでいっぱいであった。世界は停止して空白なのに、笑ったり食べたり、作業をしたりしているのだろう。そういうことが合点がゆかなかった。敗戦のときは死ぬるときと思いつめたものが、生きているのは卑怯ではないのか。じぶんは寮の小母さんが喧嘩でもして泣いているのだと誤解してくれたのをいいことに、そんな振りをして生きているのではないか。

（「戦争の夏の日」一九七七年初出）

天皇の敗戦宣言を聞いて、誰と、なぜ喧嘩したのだろう。敗戦の受け止め方が周囲とは違っていたからだろうか。やっと戦争が終わった、解放されてこれからは自由だと考える者もいただろう。それで諍いが起こったのだろうか。

敗戦は、突然であった。

都市は爆撃で灰燼にちかくなり、戦況は敗北につぐ敗北で、勝利におわるという幻影はとうに消えていたが、わたしは、一度も敗北感をもたなかったから、降伏宣言は、何の精神的準備もなしに突然やってきたのである。

（中略）

わたしは、絶望や汚辱や悔恨や憤怒がいりまじった気持で、孤独感はやり切れないほどであった。

降伏を肯じない一群の軍人と青年たちが、反乱をたくらんでいるという風評は、わたしのこころに救いだった。すでに思い上った祖国のためにという観念や責任感は、突然ひきはずされて自嘲にかわっていたが、敗戦、降伏という現実にどうしても、ついてゆけなかったので、できるなら生きていたくないとおもった。

(『高村光太郎』「敗戦期の問題」一九五五年初出)

突然の敗北・降伏についてゆけずに、生きていることが恥ずかしく、生きているフリをして生きていた。戦争を停止させ降伏を決めた戦争権力に対する軍人や青年たちの反乱の風評が心の救いだった。もし、反乱に参加する機会があれば、実行しようとおもっていたかもしれない。精神的混迷のなか、燃料製造の中間プラントの解体、資料の焼却を一か月ほどやり、富山から東京に帰ったのは九月だった。

わたしは、敗戦のとき、動員先からかえってくる列車のなかで、毛布や食糧を山のように背負いこんで復員してくる兵士たちと一緒になったときの気持を、いまでも忘れない。いったい、この兵士たちは何だろう?この兵士たちは、天皇の命令一下、米軍にたいする抵抗もやめて武装を解除し、また、みずからの支配者にたいして銃をむけることもせず、嬉々として(?)食糧や衣料を山分けして故郷にかえってゆくのは何故だろう?そういうわたしにしても、動員先から虚脱して東京へかえってゆくのは何故だろう?　日本人というのはいったい何という人種なんだろう。

兵士たちをさげすむことは、自分をさげすむことであった。知識人・文学者の豹変ぶりを嗤うことは、みずからが模倣した思想を嗤うことであった。どのように考えてもこの関係は循環して抜け道がなかった。このつきおとされた汚辱感のなかで、戦後が始まった。

(「思想的不毛の子」一九六一年初出)

富山から帰京する途中に、食料をリュックサックに詰めるだけ詰めて武装解除して帰郷する兵士たちに出逢ったことを、吉本は生涯に何度もふれている。なぜ武器をとって進駐米軍や支配層に銃口を向けないのかとおもっていたにちがいない。兵士たちを蔑み、兵士たちから蔑まれたことが、生涯をとおして原罪のように吉本のこころの傷になった。

この感情は、帰京しても消えることはなかった。

わたしは、降伏を決定した戦争権力と、戦争を傍観し、戦争の苛酷さから逃亡していながら、さっそく平和を謳歌しはじめた小庶民層を憎悪したことを、いっておかねばならない。
もっとも戦争に献身し、もっとも大きな犠牲を支払い、同時に、もっとも狂暴性を発揮して行き過ぎ、そして結局ほうり出されたのは下層大衆ではないか。わたしが傷つき、わたしが共鳴したのもこれらの層にほかにはなかった。支配者は無傷のまま降伏して生き残ろうとしている。そのことは許せないとおもった。
わたしは、戦後、このわたしの考えが、初期段階のファシズムの観念に類似したものであることを知った。
（『高村光太郎』「敗戦期の問題」一九五五年初出）

最も戦争にのめり込み、大きな犠牲をはらった『下層大衆』は明日をも知れずに路頭に迷い、中・上流の庶民や、戦争をやり始め推進した支配層は無傷のまま生き延びようとしていることが許せないで、それらに対して憎悪がきざしてくることをどうすることもできない。しかし、その「下層大衆」は、命令一下、武装解除して、食料をかついで帰郷してゆく兵士たちでもあった。

そして《わたしは、戦後、このわたしの考えが、初期段階のファシズムの観念に類似したものであること》を知ることになる。つまり、中・上流の庶民や支配層は欺瞞的で、自分たちだけがよければよくて、うまくやっているじゃないかという憎悪の感情は《初期段階のファシズムの観念》ではないかと内省するに至る。この考えの変化とその思考経路にわたしは関心をもつ。

『新約聖書』への共鳴と反発

『新約聖書』をよんだのは、敗戦直後の混迷した精神状態のさ中であった。そのころは、ちょうど天地がひっくりかえったような精神状態で、すべてを白眼視していた時期であった。そんなとき、十代によんだ『昆虫記』のことなどを思い出すことができたら、随分道がひらけたろうとおもうが、そんな時期にかぎって眼は現実の社会の動きに苛立っているものだ。いまおもうと、自分がコッケイであり、悲しくもあるが、富士見坂の教会などに行って、牧師の話をきいたりしたこともあった。だめなのだ。彼らは、『新約聖書』の理解を、全く、まちがっているとしかおもえなかった。綺麗事じゃないか。『新約聖書』なんて、そんなものじゃないよ、という抗議を、こころのなかで何度もあげた。わたしは、その時も、いまも、『新約聖書』を理解した日本の文学作品としては、太宰治の「駈込み訴へ」が、最上のものではないかとかんがえている。芥川龍之介の「西方の人」は、太宰の「駈込み訴へ」一篇に及ばないのである。やがて、わたしなりの新約理解をたどって、「マチウ書試論」という評論をかき、このとき『新約聖書』からうけた恩恵に、いささか、むくいることができた。『新約聖書』の作者は、おそらく人類の生んだ最大の思想家の一人である。

（「読書について」一九六〇年初出）

吉本にとって『マチウ書試論』は、アジアの解放を信じた皇国青年だった戦争期と敗戦後の精神的混迷（初期段階のファシズムの観念）に決着をつけ、そこから脱けだすために必然だったのだ。

『新約聖書』は、帝政ローマとユダヤ旧教の二重の支配に抗して、死の約束を交わし、精神の自由の王国の実現というユートピアをめざした十数人が、それぞれが相互に白眼視して離反し、大衆から離反され、最後に自分から自分が離反される物語だ。

吉本は「富士見坂の教会」で聞いた牧師の話のどこに《『新約聖書』なんて、そんなものじゃないよ、という抗議を、こころのなかで何度もあげた》のだろうか。

「マタイ伝」は終盤で、「偽善なる律法学者とパリサイ人よ、諸君にわざわいあれ」という出だしでいくつも敵に対して口汚く悪罵を投げかけている。曰く、諸君は重い荷物を人の肩にのせるが自分では何ひとつ動かさない。諸君の行為はいつも人に見られるためにするだけだ。諸君は衣服に長いふさをつけ、宴会では第一席を、教会では第一座を愛する。諸君は公共の場で挨拶され、人から先生、先生と呼ばれることをこのむ……。そして、

エルサレムよ、エルサレム、予言者たちを殺し、派遣されたものを石でうち殺すものよ。牝どりがそのひなをつばさの下にあつめるように、いくたびわたしは、おまえの子らをあつめようとしたろう。だがおまえたちはそれを欲しなかったのだ!（吉本訳）

と悲痛な叫びを発して処刑場へ引き立てられてゆく。おそらく、吉本がこころのなかで抗議の声をあげ、《綺麗事じゃないか》と思ったのはこの箇所だ。指導者イエスのこの言葉は主観の主観、その極致であり、思い込みにすぎないのだ。真に超えなければならないのは、律法学者やパリサイ人、そして大衆から見れば、イエスは《暴徒》《乞食坊主》にすぎないじゃないか、という感情と論理だ。外側から自分を視るというのは、そのことだ。もし、イエスの最後の主張が真理ならば、イエスは《暴徒》《乞食坊主》にすぎないじゃないかという主張もまた真理なのだ。ここではじめて思想は、現実あるいは地獄に直面するのだといっていい。

「マタイ伝」のこの場面は、吉本が敗戦直後に経験したことと酷似している。戦争の苛酷さから逃げ、さっそく「平和」を謳歌しはじめた「小庶民層」と戦争指導層は無傷のまま生き残ろうとしていることが許せなかった、と吉本がいうとき、「マタイ伝」の「律法学者」や「パリサイ人」は、無傷のまま生き残ろうとしている戦争支配層と同じだった。逆からいえば、さっそく「平和」を謳歌しはじめた「小庶民層」と生き残りつつあった戦争指導層からは、反乱軍に機会があれば参加したいと考えていた青年吉本は、《暴徒》《乞食坊主》にすぎないと見えていたかもしれなかった。

武装解除して帰郷する兵士たちとはいったい何か

敗戦の八月十五日にあらゆる精神の価値崩壊に遭い、そのひと月ほど後の、帰京する列車のなかでの武装解除して帰郷しようとしている兵士たちとの出あいは、吉本の敗北にとどめを刺した。内発的な真の敗北は、列車のなかで《嬉々として(?)》帰郷する兵士たちと出あったときにおこったといってもいい。

ぼくが青年時代以降、自分で自覚的に敗北だったな、と考えていることは三つあげることができます。一つは太平洋戦争の敗戦ということですけれども、そこでの敗北をとってみても、その時の考え方では、天皇制自体が戦争をやめよということで、勢力を温存しようとしても、支配者がそれを温存しようとしても、大衆は徹底的に戦うだろうと考えていました。また自らもそういうふうに戦うだろうと考えていました。しかし事態は全く異うので、そこで戦うだろうと考えていた兵士たちは、食料不足の焼け野原ですから、その中でまっさきに軍隊がヤミ貯蔵していた食料を、もう背中いっぱい背負えるだけ背負ってなんらの反応も示さないで武装解除されて、郷里へ帰るというようなのが、そのときの大衆の敗北の構造であったわけです。ぼくらのほうが飢えていたので、大きな袋をもって帰っていくだけで、流血の叛乱もなく、そういうふうにして総武装解除されて、戦争が終わり、そして終わったことによってなにが得られたのかといえば、温存された支配層がえられただけ、とはまったく意想外でした。

そこでの大衆の敗北の仕方もまた、まことに奇妙な敗北の仕方なんです。しかし皆さんは、大衆とか労働者、あるいは労働者階級というと錯覚するかもしれないけれども、大衆というものはそういうものだということは、よくよくご承知になったほうがよろしいと思います。これは大衆に対する不信ではありません。つまり、大衆はそういう面をもっており、そのなかには伝統的な様式もまた、存在するということです。

（「敗北の構造」一九七〇年六月講演）

天皇制とそのもとにある戦争支配層の命令一下、家族を捨てアジアの果ての戦地に赴く兵士とそれを熱狂的に支持する大衆、また、武装解除して帰還せよという支配層の命令があれば、唯々諾々とそれに従う大衆とはいったい何なのだろう。米軍あるいは支配層に銃を向けて立ち上がるだろうと思っていた大衆は、しかしそうではなかった。何の反応も示さないで、軍の貯蔵食料を詰め込むだけリュックサックに詰め込んで帰郷していった。

吉本はこのとき兵士たちに、一緒に戦おうと話しかけ、「マタイ伝」のように、わたしの翼のもとに集まるよう啓蒙すべきだったのだろうか。だが、兵士たちにそんな啓蒙など通じるわけがないのだ。また、吉本に命をかけてそうする必然性はもはやなかった。そして、兵士たちを吉本が蔑んだとき、吉本もまた兵士たちから蔑まれ、白眼視された。「マタイ伝」のようにいえば、兵士たちからみて吉本は、盗賊バラバスよりも《悪》だった。

講演「敗北の構造」では、もうひとつの敗北にふれている。それは、一九五三〜五四年の東洋インキでの労働争議でのことだ。吉本が労働組合の委員長として関わった「封建的な労働環境」の打破を目指した労働争議は、終局で「会社が職能をとおしてやった」悪質な切り崩しに遭い、組合員は次々と会社側に寝返ってゆく。寝返った組合員・同僚は、吉本が次の日からこの職場にいられない、ということに同意し加担したことになる。次の日から、目を合わせてもよそよそしく、世間話すらできなくなってしまった。吉本は、これら寝返った組合員を、生活が苦しくて仕方なく寝返ったグループと、自分だけよければいいという乞食根性で寝返ったグループ、自分を含めた執行部に反感をもっていて寝返ったグループなどに分類しているが、根っこのところでは、敗戦直後の食料を詰めて帰京する兵士たちのことがよみがえったにちがいない。そして、やはり寝返った同僚・労働者を蔑んだのであり、同僚・労働者から蔑まれたのである。

もうひとつ、一九六〇年の反安保運動の敗北についてもふれているが、この時も同じようなことが起こった。だが、この時は始まりから終わりまである程度見通せていたと述べている。

「マタイ伝」では「大衆」はどう描かれているのか。イエスが各地で使徒たちとともに「わたしにつかない者はわたしに反対する者だ」「わたしのために命を失う者は永遠の命を得るであろう」などと言って布教をし、啞や盲目や聾や足なえを次々と癒す奇蹟をおこなうと、大衆は「あれは救世主ではないか。ホサナ」と口々に叫んでイエスのあとについていく。評判をよんでその数はしだいに膨れ上がってゆく。けれども、ユダがユダヤの側に寝返ってイエスがユダヤの法廷に引き立てられてゆくとき、それを沿道で見ていた使徒ペトロも罪人イエスの仲間だと「大衆」の一人が「妬み」から密告する。ユダヤの法廷で神を冒瀆したとして「死罪」が決まったあと、さらにローマの法廷に連れていかれ、ローマから派遣された「総督」の審判を受けるのだが、大衆が望めば囚人ひとりを「特赦」する慣わしがあって、「総督」は大衆に「救世主イエスと盗賊バラバスのどちらを特赦するのがいいか」と問う。大衆は「イエスを十字架につけろ」と叫んで騒動になった…。

イエスに「ホサナ！」と叫んでつき従う「大衆」は、「イエスを十字架にかけろ」と叫ぶ「大衆」でもあった。それは別の「大衆」ではなく、同じ「大衆」だった。

《大衆の原型》へ

「大衆」をどうとらえたらいいのか。「大衆」は、なにゆえに、不合理な立法を守ことを強いられ困窮を強いられても、それを強いてくる支配者を支持しているように振る舞うのか？　君臨する為政者が言いようもなく人倫に欠けるのに、支配が強固なのはなぜか？　それが分からないから、歴史あるいは理念は混迷を深めているのではないか。

敗戦の時に、ぼくは動員先にいたのですけれども、そこで朝鮮人の労働者がぼくらと同じように、徴用されて働いていました。戦争が継続中は、なぜか朝鮮人の労働者は、すみっこのほうでひっそりしているっていう感じでした。ところで敗戦の日を境いにして、一日ちがいで、とたんに、朝鮮人の労働者は、食堂へいっても、もう全くきのうとうってかわって、なんか声高に母国語を使って、しゃべりさざめき、それに対して今度は、日本の労働者は、小さくなって、ひそひそ話しているような感じになってきました。

それで、ぼくらはそれを、いずれにしても、どちらも愉快ではありませんでした。何が愉快でなかったのか、自分でよく考えたんですけど、やっぱり奴隷は奴隷じゃないのか、ということなんです。朝鮮人労働者も奴隷じゃないのか、日本人労働者も奴隷じゃないのか、その解放感も奴隷だし、そのちぢこまりかたも奴隷である、そういうことを体験的に感じました。大衆というものは、どっかちがうぞというようなことを、考えるようになった契機は、そういう体験にあった気がします。

（「敗北の構造」一九七〇年六月講演）

戦時中、「日本人労働者」は自分たちより下だと見て「朝鮮人労働者」を何かにつけてしいたげていた。ところが、敗戦を境にして立場が逆になり、「朝鮮人労働者」が「日本人労働者」をからかうようになり、「日本人労働者」はすみっこのほうで小さくなってちぢこまっている。ほんとうの敵は君臨する政治支配層であるはずなのに、お互いがお互いを苛め合っている。政治支配層がどうであろうと、そのことには関心をもたずに、身の回りにいる弱いもののほうに逆さまの過剰な関心をもつ。君臨する政治支配層の抑圧が苛酷であれば苛酷であるほど、むしろ政治支配層に過大な支持を与えているようにさえ見える。

天皇制が紙切れ一枚の命令を出せば出征する兵士たちも（敗戦直後に武装解除して食料をかついで帰郷する兵士たちも）、異族に対して威丈高になったりちぢこまったりしている大衆も《やっぱり奴隷は奴隷じゃないのか》、自分がこれまで考えていた「大衆」と実際の《大衆というものは、どっかちがうぞ》と考えるようになったと吉本は述べている。

奇妙といえば奇妙なことですが、本来的に自らが所有してきたものではない観念的な諸形態というものを、自ら所有してきたものよりももっと強固な意味で、自らのものであるかの如く錯覚するという構造が、いわば古代における大衆の総敗北の根柢にある問題だということができます。この敗北の仕方は、充分に検討するに価するので、国家といえば天皇制統一国家、という一種の錯誤、あるいは文化といえば天皇制成立以降の文化というふうな錯誤が存在するのですけれども、その錯誤の根本になっているのは、統一国家をつくった勢力の巧妙な政策もありましょうけれども、ある意味では大衆が、自らの奴隷的観念というもので、交換された法あるいは宗教あるいは儀礼あるいは風俗、習慣というものを、本来的な所有よりももっと、強固な意味で、自らのものであるかの如く振舞う構造のなかに、本当の意味での、日本の大衆の総敗北の構造があると考えることができます。（同前）

自分たちよりも下だとみなせば過剰に威丈高になり、上だとみなせば過剰に卑下する大衆、命令があれば生命を捨てて死地に赴くかと思えば、命令があれば武器を捨ててへりくだる大衆を決定しているのは、本来の自分たちのものだった宗教・法・文化よりも、覆いかぶさった天皇制・統一国家がさしだした宗教・法・文化を、より強固に自分たちのものであるかのごとく振る舞うことになった《古代における大衆の総敗北》にその根源があると言い切られている。そしてそのとき「大衆」は誰もふれたことのない《沈黙》を抱え込んだのである。おそらく、わたしたちの現在における行動に《錯覚》や《奇妙なこと》があるとすれば、《古代における大衆の総敗北》にその根源があるということができる。

このことは、わたしたちが古代に意識を走らせ、現在に戻ってきて類推の意識を働かせるということではない。現在において、対象を見るときに、いわば、即自的に見るという視線と同時に、歴史的な現在性として視るという視線を二重に行使しなければ、対象は視えないということだ。いいかえれば、《古代における大衆の総敗北》が現在においてなまなましい現実として起こっている、あるいは、現在を視るときに《古代における大衆の総敗北》という視線を二重に行使しなければ、現在は視えないであろう、ということだ。

即自的な視線からみれば、敗戦直後、食料をかついで嬉々として帰郷する兵士たちも、威丈高になって異族をしいたげる「労働者」も、無知蒙昧で唯々諾々と命令にしたがっているようにしか見えない。そして、そう見ている自分はしらずしらずに一段高い優位なところに立っている。だが、その兵士たちや労働者に《古代における大衆の総敗北》という視線を被せると現実はまったく違って視えてくる。つまり、帰郷する兵士たちは単に自分たちだけ良ければいいという奴隷根性によってそうしているのではなく、本来の所有であった先行する法・宗教・習俗よりも、後になって覆いかぶさった統一国家の法・宗教・習俗を、奇妙なことに、より強固に自分たちのものであるかのように《錯覚》したという千数百年の歴史の共同的な無意識に根拠をおいている。

武装解除して何の反応も示さずに食料を詰めて帰郷する兵士たちも、労働争議の終局で会社側に寝返った労働者も《大衆の原型》だ。彼らのことが理解できなかったから、そのとき、吉本は息の根を止められたのだといっていい。理解できないことは生きることが困難であることと同義であった。そして、《大衆の原型》の根源に《古代における大衆の総敗北》という、誰も触れたことのない、歴史の底に沈んだ《沈黙》に到達した。いいかえれば、その《沈黙》に触れ得たとき《大衆の原型》という概念が生まれたのだといえよう。

自分は「大衆」よりも劣っている存在だという考え

結局どう考えたかというと、なにが価値かという場合に、全部ひっくり返せばいいじゃないかと考えたわけです。つまり人々が偉大な思想家であるとか、偉大な政治家であるとか、偉大な宗教者だとかいってるやつはいちばんだめなやつだと考えればいいということです。人間は〈如何に生くべきか〉と考えた場合に、もっとも価値ある生き方というものは、これとても架空なんですけれども、自分の生活のところで具体的に眼にみえるように当面している問題とか、自分の家族とか兄弟とかそういうことならば、考えたりするけど、ベトナム戦争がどうだとか、あんまり遠くのほうにあることは考えないという生き方が、いちばん価値ある生き方なんじゃないかと考えたわけなんです。言ってみれば相対性の極限です。そういうやつがいるかどうかはすこぶる疑問なのです。だからある程度ひとつの像、イメージになるのですけれども、イメージとしては可能なイメージなんです。身辺でよくいると思います、その種の人は。その価値ある生き方に対して、人間は観念の世界の特有な性質にもよるんですけれども、大なり小なり、それから外れてしか生きられないわけなんです。共観福音書の主人公みたいなやつは、絶対的にそれていくやつなんです。だけどもごくふつうの人は、大なり小なり価値ある生き方からはそれているということは、ごくふつうにありうる存在なんです。だからそうならば自分が大なり小なり絶対的な生き方、つまり遠くのことは考えねえというような、そういう価値ある生き方からそれているということについて、自覚的であらねばならない。つまりそれているということに、価値観をくっつけたらだめだということです。偉大な思想家とか偉大な宗教家とかいうのは、もっともえらいんだと思ったらもうだめだということなんです。それはいちばんだめなやつだと思うべきで、自分はそれほどじゃないけれども、しかしやっぱり価値ある生き方からは、多少はだめだというふうに絶えず考えなければ、ほんとうにだめになっちゃうということです。それがわたしの根柢にある問題です。

この問題というのは、きょうはサービスで申しあげるんでね、つまり、こんなことどうしていうかというと、わたしが身についていないからいうんですよ。身についていれば、こんなことはいわないわけなんです。だけれども、それはわたしの思想の核なんです。

（「宗教と自立」一九七〇年七月講演）

吉本はこの講演で自身の《思想の核》について述べている。人びとが偉大な思想家、偉大な政治家、偉大な宗教者だとかいってるやつはいちばんだめなやつであり（もちろん自分で自分を偉大だと思っているやつも最もだめなやつであり）、自分の生活で具体的に当面している問題や家族とか兄弟のことならば考えたりするけど、遠くのほうにある政治のことは考えないという生き方が《いちばん価値ある生き方》だというのが自身の《思想の核》だといっている。

これは吉本個人の道徳性の強さの問題ではない。身の回りの生活のことしか考えない存在が、支配者に唯々諾々と従う、知的に貧しく蒙昧な存在としか見えないとすれば、それは自分の思想の死であり、一瞬にして自分が支配的秩序の思想、戦争を推進した思想、古代以降めんめんと継がれる勝利者の思想にのみ込まれてしまうことを意味した。自分を含めた大衆を客観物として対自的に視たとき、知的に上昇した自分は最もだめなやつであると考えるほかなかった。この思想的典型だけが、あらゆる閉じられた党派性を超える、唯一の道すじを指すものであった。

そして、《いちばん価値ある生き方》は《大衆の原型》にあるという考えは、敗戦直後に食料をかついで帰郷する兵士たち、あるいは路頭に迷った大衆に対面したとき、思い上がった若者にすぎなかった吉本が、それ以降ひそかに自分に課してきた戒律であるようにおもえる。

「ほんとうのこと」と「うそのこと」を分けたい、あるいは「ほんとうのこと」とは何か追究したい。しかしこのばあい「その命題自体を立ててそれを追究すること自体は、追究しないことよりもだめなんだ」という考えは、唯一糸口のような気がします。つまり、追究すること自体、そういう課題をもつこと自体のほうが、追究しないことよりも良いことなんだ、「ほんとうのこと」なんだという考え方はだめなんじゃないでしょうか。それなのに追究することは不可避です。

（『ハイ・エディプス論』一九九〇年刊）

自身が母の胎内にいたときに意識・無意識の起源で何が起こったのかを追究したい、だが「追究しないこと」よりも「追究すること」のほうが優位であるという考え方はだめなんじゃないか、と吉本は述べている。これは「追究すること」よりも「追究しないこと」のほうが優位だといっているのとは少しちがう。「追究すること」は不可避だということに対自的になっている部分だけちがっているのだ。親鸞の「善人なおもて往生とぐ　いわんや悪人をや」というのと似ている。

敗戦直後に黙々と帰郷する兵士たちに、言葉がまったく通じなかった自身を恥じて、兵士たち（大衆の原型）に、言葉の橋を架けようとして藻がいているようにもおもえる。それが、晩年までつらぬく吉本の《思想の核》あるいは《自己表出》であった。

（つづく）

真夏の村上春樹

――『一人称単数』と『猫を棄てる――父親について語るとき』を読んで

伊川龍郎

1

冷房のきかない夏の部屋で、うんうん音をならして村上春樹の近作を読んだ。新しい短編集『一人称単数』の中で面白いのは、『品川猿の告白』だと思う。

僕がその年老いた猿に出会ったのは、群馬県M＊温泉の小さな旅館だった。五年ばかり前のことだ。鄙びた、というか老朽化してほとんど傾きかけたその旅館に宿泊したのは、たまたまの成り行きによるものだった。

（村上春樹『品川猿の告白』）

いつものように語り手として「僕」が風景や人物を呼び込んでくる。「僕」は特別な目的があるわけではない。ただ「行きあたりばったりの一人旅」を続けて宿を探しあぐねているうちに、たまたま見つけた「鄙びた、というか老朽化」した旅館に泊まることになる。作品の入り口で用意されたように、「一本の毛髪も眉毛も残されていない老人」がいて、「年老いた大きな茶色の猫が熟睡」している。夜半、この旅館で風呂に入っていると猿が入ってくる。

猿がガラス戸をがらがらと横に開けて風呂場に入ってきたのは、僕が三度目に湯につかっているときだった。その猿は低い声で「失礼します」と言って入ってきた。それが猿であることに気づくまでにしばらく時間がかかった。

（同前）

いつもそうであるように主人公は、丁寧に相手の話を聞く。この丁寧さは村上春樹作品らしいところだ。

でもこのうちは人手がいつも不足しておりまして、猿でもなんでも、役に立ちさえすれば働かせてくれます。猿ですので、お給料は微々たるものですし、あまり人目に触れないところでしか働かせてもらえません。もっとも風呂の世話とか、掃除とか、その程度の仕事です。普通のお客さんは猿がお茶なんか持ってきたら、そりゃ驚きますので。また調理場なんかだと、食品衛生法なんかにもひっかかりますでしょうし

（同前）

「品川猿」の話は、視線を低く暮らしてきたような人物の〈生活〉の会話だ。たとえば、猿というあだなをつけられて、格好良くはないがそう受け取ってもらっていることに馴れて、十年二十年と過ぎた、多少外見から見下されがちの人物の話と同等だととっていい。あるいは戦時中は南方の前線で苦労したなあとか、仕事人間だったが病気でたおれてからはうまくいかなくなったよ、などと苦楽のうち苦の方を多く重ねて暮らしてきた人がほっとため息

をつくのは、瞬時に消える歴史意志の表出である。もちろんため息のその深さ浅さあたりで安定したいという願望は現在持ちえないことにも、作者は気づいている。

「品川猿」は猿たちと「コミュニケーション」がとれず、「私は猿社会にも属せず、人間社会にも属せない、どっちつかずの半端で孤独な猿に成り果ててしまった」と続ける。特技としては恋情を抱いた人間の女性の「名前を盗む」ことだ。その人の名前の記された「運転免許証とか学生証とか保険証とかパスポートみたいな、それから何かの名札のようなもの」をこっそり盗んで念を入れる。「心のなかにあるその名前を、ただひっそりと一人愛でるだけです。あたかも優しい風が草原をそっと渡っていくかのように。」恋情の相手にはこんな風に通じる。「取られたぶん、名前の厚みが少し薄くなる、重量が軽くなる。」、「日がいくらか陰って、地面に落ちた自分の影がそのぶん淡くなるのと同じように」

これはそのままでは二者間の不思議議話以上にはならない。ただ太古のマジカルな行為のように、恋情は相手に届けられるということは今でも意識の古層にはありうるというべきかも知れない。クレジットカードや健康保険証をなくしてしまって再発行の面倒な手続きをとらなければならないということはよくある。大したことではないのだが、ちょっと不安定な気分がする。住所と名前を所定の番号といっしょに書き込んで手続きをとって、またそれがとどいて入手するまで、落ち着かない気がするだろう。するとこれは、社会との接触面での、大事故ではないが存在の薄さを押し付けてくる現在の暗喩になっていると思える。「僕」と同じように「品川猿」の太古の呪術にかかってしまう必然性が、膨大な社会システムの隅に浸透する力があることを認めるしかない。そう小説はいっていることになるし、それは達成されているように思える。

ジャズバーの誰もいない深夜の机から、文学の通念を一瞬緊張させることのできた若い時期、良い作品がよく読まれるようになって、馴れの時期を経てきただろう、そしてその上、世界イメージが生み出す〈自然〉にゆったり落ち着いていく、ということだけは現在どこにも実現されていないし、それは村上春樹でなくとも誰にとっても同じだ。そういう〈自然〉はシステム的に禁じられているのであって、主観の覚悟の問題でもふところ具合の問題でもない。村上春樹はこの作品で生活を表現の次元にもっていって、用意された平板な〈自然〉の図式に抵抗している。そういうよりも、奇譚の主も聞き手の「僕」も、世界苦を溜めてきたことを、生活的に書くことで奇譚の体制を解体している。こちらの解釈のほうが妥当な気がする。

世界中の読者にモテてきた村上春樹自身が、とくにわくわくすることもなくなり、褒め言葉の凡庸さに退屈し、中傷や軽視には大家として慣れっこになっていそうで、なれることができない、という中で積み重なった負担感だけは手放さないで、品川猿の場面に対峙している。

村上春樹の作品で、不可解な、不思議な話を語る人物は、いつもこの世のものから外れたような姿で現れてしまう。あえて奇譚を書いたものとしては、柳田國男の『遠野物語』とポー作品などがあるのを知っているが、村上作品ですぐに思い出されるのは『納屋を焼く』や『中国行きのスロウ・ボート』の諸短編だ。また『羊をめぐる冒険』では、北海道のアイヌと羊の話は小説に深層を作ろうとして組み込んだ説話だといえるし、他の長編でも「戦争」の陰惨な場面が、ことさらに挿入されている。インタビュー集の『アンダーグラウンド』もオウム真理教と地下鉄サリン事件が同位に置かれていることが前提になっている。もちろん村上春樹作品には別系列もある。『パン屋再襲撃』では、登場人物が物語なしにじかにコミック狂言を演じて、それでいて全体が豊かな時代における暴力と飢餓の暗喩としてシステム化された現在に拮抗しようとしている。初期の『風の歌を聴け』のような、短章をむすびつけて一篇となすような作り方では長編にはなりにくい。これらはあまり展開されずにエッセイに散乱していった。『遠い太鼓』のようないいエッセイはあまりないが、米国のジャズ批評のようなポップ記事が好きな作者の嗜好にはよかったのかと思う。『羊をめぐる冒険』では作者は周到に構想して、奇譚の組み込みに手応えを感じたはずだ。同時にそれは、第三者的な視点に同化しやすい通路を裏側にもっていったともいえる。数え間違えた写真の中の羊が気になりだし、最初は小さなこだわりだったのがだんだんこうじてしまうことは誰にもあるだろう。村上春樹の場合は特異だと思える。さわりのような境界域の蠢きを感受して、象徴に格上げされてテーマをつくっていく。すると右翼の大物や宗教団体の頭領、また「僕」の実父の似姿らしい人物が出没して、超〈父〉的な存在感として「僕」に圧をかける。そしてその正反対にこの経路の逆の、物語の限界、作者の自意識の境界に線を引いた箇所もある。そこでは作者が現実に飼っているような猫があらわれ、その近くに普段着姿の父親がいたりする。これは意外な執着のように見える。たしかにシステムに対する後進性の象徴として父の存在が大きく見えることはあるだろうが、少なくとも戦後急速にその意味は衰えていった。近年ニュースなどで事件として父親が取り上げられるときは、母子父という関係の特異性を作れない崖っぷちのキワで、動物的な挙動に落ちていった姿だ。それを茶の間のこちら側から悪口をいうことはたやすいことだが、崖っぷちには届かないに違いない。村上春樹の作品では、物語のがけっぷちに、またときには境界線上に父的なものと猫が登場してくる。

比較的初期の作品から、こだわり（＝こだわることとこだわらないこと）の境界あたりを書いている文章を見つけることができる。

結婚したときもまだ学生の身分で、そのアパートでしっかりと貧乏していたので、僕はとりあえずうちの奥さんの実家に居候することになった。しかし奥さんの実家は布団屋さんで、「猫を連れてくるなんてとんでもない。売り物に毛がついてしまうじゃないか」と父親に言われた。

（『うずまき猫のみつけかた』）

奥さんの父親は当初は「まったく、猫なんて連れてきやがって、そんなの冗談じゃねえ。どっかに捨ててこい」と言ってかんかんに怒っていたのだが、もともと猫がそれほど嫌いなわけではないらしく、そのうちピーターをかげで可愛がるようになった。僕の見ている前では無意味に蹴飛ばしたりしても、朝早くみんなのいないところではこっそりと頭を撫でて、食事を与えたりしていた。ピーターが婚礼用の布団に小便をかけたときにも、文句を言わずに——ちょっとくらい言ったような気もするけれど——黙ってやりなおしていた。小学校もろくに出ていない（というのは決して差別的表現ではない。今どきかっこいいじゃないですか）ちょっと風変わりで偏屈なおっさんだったけれど、生粋の東京人らしくあきらめのいい部分があった。

（同前）


「いわしは元気ですよ」と運転手はジープを運転しながら言った。「まるまると太っちゃいましてね」僕は運転手の隣りに座っていた。彼はあの化け物のような車に乗っている時とは別人に見えた。彼は先生の葬儀や猫の世話についていろいろと話してくれたが、僕は殆ど聞いていなかった。ジープが駅に着いたのは十一時半だった。町は死んだように静かだった。老人が一人、シャベルでロータリーの雪をかきわけていた。やせた犬がその隣りで尻尾を振っていた。

「どうもありがとう」と僕は運転手に言った。

「どういたしまして」と彼は言った。「それから、あの神様の電話番号ためしてみました？」

「いや、暇がなくてね」

「先生が亡くなって以来、通じなくなっちゃったんです。いったいどうしたんでしょうね」

「きっと忙しいんだよ」と僕は言った。

「そうかもしれませんね」と運転手は言った。「じゃあ、お元気で」

「さようなら」と僕は言った。


（『羊をめぐる冒険』）

どちらも同じように物語のない場所で、自然が息を吹き返していることが書かれている。「右翼の大物」だという「先生」が死んで物語はすでに終わっている。ここは「僕」が冒険に出るはめになった時、自分の猫（「いわし」）の世話を託した「運転手」との後日譚である。「運転手」が毎日交信しているといっていた「神様」とは電話がつながらなくなっているというのは、「運転手」にとって物語の死を象徴している。しかし作品の流れとしては、「運転手」はそのことにこだわりがない、という点が重要なのだ。

こだわりはある場合運命を決するのだが、別様に見れば生活の中で退色して、自意識を活性化しなくなる。ここで人物相関やストーリー主題や設定をとりあげないのは、物語の死に対する作者の感受のしかたを追っかけたいのだ。

2

『猫を棄てる――父親について語るとき』の方は、やっぱり書きたかったんだろうなという風にして、実父と猫について書いている。村上春樹のこみいった小説のネタばらしになっている。

とにかく父と僕は香櫨園の浜に猫を置いて、さよならを言い、自転車でうちに帰ってきた。そして自転車を降りて、「かわいそうやけど、まあしょうがなかったもんな」という感じで玄関の戸をがらりと開けると、さっき棄ててきたはずの猫が「にゃあ」と言って、尻尾を立てて愛想良く僕らを出迎えた。先回りして、とっくに家に帰っていたのだ。どうしてそんなに素早く戻ってこられたのか、僕にはとても理解できなかった。なにしろ僕らは自転車でまっすぐ帰宅したのだから。父にもそれは理解できなかった。だからしばらくのあいだ、二人で言葉を失っていた。そのときの父の呆然とした顔をまだよく覚えている。でもその呆然とした顔は、やがて感心した表情に変わり、そして最後にはいくらかほっとしたような顔になった。そして結局それからもその猫を飼い続けることになった。そこまでしてうちに帰ってきたんだから、まあ飼わざるを得ないだろう、という諦めの心境で。

（『猫を棄てる——父親について語るとき』）

村上春樹がこどものときのことを想起している。「僕」は猫をすてるという父親の判断に違和感をもっているのだが、父親のこぐ自転車の後ろに乗って、猫を入れた箱をもって出かける。「猫を入れた箱を防風林に置いて、あとも見ずにさっさとうちに帰ってきた。」長く会っていなかった亡父と、今もいつもそばにいる猫とのおだやかな情景になっている。おだやかというのは、父親との間に葛藤がないということではない。挿話への重心のかけ方に意図がかぶさっていないくらいの意味だ。こういうことはあっただろうし、この時の心情はこうだろうし、時間はこう推移するだろう、と思えるように記述が進む。このエッセイでは、すぐに様相が変わる。

死んだ父の戦争時期の話を詳しく知るため、村上春樹は親戚を訪ね、編集部を動かして父親の従軍時代の行動を調べはじめる。作者の視線は徐々に職業的な調査員の目になって追っている。もちろん、いい歳になって忘れていた宿題を思い出したように、また余裕ができたので関心が動くということはだれにでもありうる。親の若い頃のことをあらためて聞き出して戦争中はどうだったのか、もっと代をさかのぼって、祖先は何をしていたのか、などなど。脇が甘くなって棺桶に足を滑らしたといっても同じだが、だれでもあることだと思う。こういう駄目になるなり方はいい。連れ合いに愛想をつかされない程度にやればいい。村上春樹もそう変わらないところから始まっている。文体は徐々に変わってくるのでもう少し見ていく。

いずれにせよその父の回想は、軍刀で人の首がはねられる残忍な光景は、言うまでもなく幼い僕の心に強烈に焼きつけられることになった。ひとつの情景として、更に言うならひとつの疑似体験として。言い換えれば、父の心に長いあいだ重くのしかかってきたものを――現代の用語を借りればトラウマを――息子である僕が部分的に継承したということになるだろう。人の心の繋がりというのはそういうものだし、また歴史というのもそういうものなのだ。その本質は〈引き継ぎ〉という行為、あるいは儀式の中にある。その内容がどのように不快な、目を背けたくなるようなことであれ、人はそれを自らの一部として引き受けなくてはならない。もしそうでなければ、歴史というものの意味がどこにあるだろう？

（同前）

僕がこの文章で書きたかったことのひとつは、戦争というものが一人の人間の――ごく当たり前の名もなき市民だ――の生き方や精神をどれほど大きく深く変えてしまえるかということだ。そしてその結果、僕がこうしてここにいる。父の運命がほんの僅かでも違う経路を辿っていたなら、僕という人間はそもそも存在していなかったはずだ。歴史というものはそういうものなのだ――無数の仮説の中からもたらされた、たった一つの冷厳な現実。

歴史は過去のものではない。それは意識の内側で、あるいはまた無意識の内側で、温もりを持つ生きた血となって流れ、次の世代へと否応なく持ち運ばれていくものなのだ。そういう意味合いにおいて、ここに書かれているのは個人的な物語であると同時に、僕らの暮らす世界全体を作り上げている大きな物語の一部でもある。ごく微少な一部だが、それでもひとつのかけらであるという事実に間違いはない。

（同前　あとがき「小さな歴史のかけら」）

父親との思い出に含まれる時間は、敗戦前の日本軍の中国大陸での蛮行に父自身が関連したか、実行したか、またはただ見ていただけなのか、それは歴史にどう関連するのか、という狭窄した視野の外にほうり出されている。「歴史」がここで無規定なまま象徴化して、同時に、父親とのささやかな「温もりを持つ生きた血」の挿話の方が、説話の位置に退いている。そのことはこの「あとがき」に集約して表れている。

なぜ村上春樹は父親の思い出に、懐かしさと反発の入り混じった息子の複合感情とあわせて、文体として固執しなかったのか、このエッセイからはわからない。ここでいわれる第二次大戦中の海外での日本人の集団的な残忍さは、たとえば政府や研究者かわからないが、事にあたって（被害者が名乗りをあげるのに対応してでもいい）、調査を徹底するべきであり、謝罪すべきことは公的に謝罪するというのがまともなのだとはいえる。ただし共同幻想に圧倒されて個人意志が麻痺している集団の中での加虐行為について個人を問うなら、閉ざされた集団性の圧倒する内側では、美談も残忍さも等価な必然だという観点が条件として不可欠だと思う。善意だけの境界域を作って意味を発したとしても、集団的な視線の下にある内部では、誰でも残酷で卑劣ないじめと排除をやり続け、その傍らでいい話を語る。それは今現在という戦場にある無数の惨めな自分であって、向こう側の物語にはなりようがないからだ。

このエッセイでやっているこだわりから象徴への矢印は、毎年八月にもなると風物詩のようにとりあげられる戦争と同じ〈自然〉の位相にずれこんでいる。そこでくり返される美談と残忍さは、社会が停滞する度合いに応じて外に追い出される共同の説話である。「こういうことをやったのだという記憶をもつべきだ」というとき、村上春樹は無数の言葉の実相で作品を作り出す固有な表現者の場から、第三者というパネルを前においたコメンテータの座席に移動している。

岡田幸文さんと比嘉加津夫さんを悼む

松岡祥男

沖縄の『脈』の比嘉加津夫さんとミッドナイト・プレスの岡田幸文さんの逝去はほんとうにショックでした。おふたりとも二〇一九年一二月九〜十日に亡くなりました。

書くことに限っても、比嘉さんと岡田さんの存在なくして、わたしは持続的な執筆の機会は得られなかったのです。

根石吉久さんによれば、岡田さんは夏の暑さがことのほか堪えたようで、体調が悪いと言われていたとのことです。一二月の初旬に倒れて、救急車で搬送され、救急治療室で手当てを受けているけれど、危ない状態との連絡がありました。その後、亡くなられたと伝えられました。

岡田さんを知ったのは『鳩よ!』(一九八四年一〇月号)でした。「詩が誘います、旅へ。」という特集で、岡田さんは東京の目黒(品川区)の案内人として誌上に登場していたのです。ビートルズの新しいレコードが出た日は目黒の坂を駆けおりて、買いに走ったという。ビートルズはもちろん、ジミ・ヘンドリックス、ジャニス・ジョプリン、音楽大好き少年だったとのことです。その店に案内するつもりで行ったけれど、店は無くなっていたのです。長髪で眼鏡をかけジャケットをはおりレコードを漁る姿と、日出女子学園の看板のある駅の通路と思しき場所に立つ写真が載っていて、わたしはカッコいいなあと思ったのでした。

そんな岡田さんとどうして知り合ったかというと、彼は『詩学』の編集を担当していて、原稿依頼があったからです。それからつきあいがはじまったのです。

『詩学』は投稿詩の掲載とその合評をはじめ「詩書批評」「詩誌月評」を中心に、小さいながら詩壇の公器とも称された伝統ある雑誌でした。吉本隆明さんとの会話の中でも、何度か岡田さんのことが話題にのぼりました。その最初は「折角、彼らしい誌面になりはじめたところだったのに……」というものでした。岡田さんは知り合って間もなく『詩学』を辞めました。吉本さんが言われたように、旧態然たる詩誌の閉鎖的な人脈主義に対して、少しでも新しい息吹を吹き込もうとしたのです。そこに齟齬と亀裂が生じたのでしょう。これに関連して社主(嵯峨信之)の根も葉もない中傷があったのですが、岡田さんはめげることなく『詩の新聞ミッドナイト・プレス』を創刊しました。

わたしは岡田さんにお世話になり放しです。エピソードを語ると、わたしが『遠い朝の本たち』を読んで、須賀敦子にはまっていた時、岡田さんは「松岡さんには須賀敦子は似合わない」と言いました。わたしはそうだろうなあと思うと同時に「いいものはやっぱりいいでしょう、岡田さん」と胸のなかで呟いたのでした。

一度わが家にやってきたことがあります。いろんな話をしているうちに、岡田さんは疲れていたのでしょう、パートナーの山本かずこさんの膝を枕に眠りました。その微笑ましい様子と、谷川俊太郎さんのマネジャー、『現代詩手帖』の編集長の道を選ばず、困難な詩の出版社を立ち上げて奮闘した心意気は、わたしのなかで不滅の光芒を放っています。

言葉で
城を造ろうとは思わない
丘の斜面を歩きながら

旅芸人の君の歌声に耳を傾ける（岡田幸文「見えない城」）

書く人歌う人は、必ずしも良い読み手や聞き手ではありません。おのれに固執するからです。岡田さんは他者のなかを流れるメロディを聞くことができたのではないでしょうか。

比嘉加津夫さんとは亡くなる一週間前に電話で話しました。その時はお元気で、声にも力がありました。ですから、あまり心配していなかったのです。でも、お体は危機的状態（幾つも病気を抱えており、酸素ボンベを使用していました）にあったことは変わりませんので、一旦体調を崩されると、危ないことは暗黙のうちに分かっていました。

電話でのやりとりは、『脈』に関することでした。わたしは第一〇四号の原稿（「『ふたりの村上』の成立」）と、第一〇五号（特集「『吉本隆明資料集』と松岡祥男」）に関連する追加の手紙を送信しました。それに対して、比嘉さんから最初の「手紙」が手元に無いとのファクスが届きました。

わたしは『脈』一〇三号が届いたその日に、資料集の「別冊1・2」と「手紙」を送っていました。郵便事故の可能性を考えました。ただ、ひとつ不審なことがありました。比嘉さんから電話があって、送った『脈』一〇三号が返送されてきたというのです。しかし、わたしのところには雑誌は届いていました。《届いています。返ってきたというのはどういうことでしょう》と電話で言ったのですが、不可解なままになっていました。わたしは郵便局に問い合わせ追跡調査をしました。郵便局は確かに配達しており、その記録も残っているとの回答でした。

それを比嘉さんに伝えました。どうしたことだろうと思ったのですが、とにかく《「別冊」も届いていない》ということなので、再度送ろうと思っていた時に、比嘉さんから三度目の電話がかかってきました。「あった」ということでした。「返送された第一〇三号」と比嘉さんが思っていたものは、実はわたしが送った「別冊」だったのです。同じ郵便局のレターパックライトだったので、そう勘違いし、一〇日以上開封しないで放置していたのでした。
これで一件落着です。このやりとりは、お互いバタバタしましたけれど、決して不愉快なものではなく、より比嘉さんと親密になったのです。そして、比嘉さんは一二月五日に第一〇五号の原稿依頼をしました。比嘉さんは最後まで意欲的でした。ほんとうに残念です。

最終段階になって、これまでの印刷所が廃業し、『吉本隆明資料集』の発行が暗礁に乗り上げた時も、比嘉さんは心配して、『脈』の発行部数及び印刷代金を教えてくれたうえ、沖縄の印刷所を紹介しますと言ってくれました。また『別冊』二冊を京都・三月書房でも扱ってもらうことになり、それが三月書房のブログで紹介された時にも電話がかかってきました。「松岡さん、『脈』で出しますよ。著者贈呈二〇部で二〇〇部作ります」と言われたのです。その時には既に刷り上がっていたのですが。

そんな比嘉さんに、『脈』の連載「吉本隆明さんのこと」を中心に作った「別冊2」を手にしてもらうことができました。それはわたしにとって救いです。

この度、『脈』では松岡祥男さんが20年間にわたって、「吉本隆明資料集」に取り組んできた功績を振り返るために特集を組みました。

最後は「ニャンニャン裏通り」と「吉本隆明さんの笑顔」を購読者に送るという、気の回し用は見事としか言いようがありませんでした。

かなり厳しい経済環境のなかで、よくも191集まで、よくも20年間という驚きと感動が湧き出てきます。

上原様には高知の思い出など10枚程度でお願いできないでしょうか。

（比嘉加津夫「上原昭則宛原稿依頼」）

比嘉さんは一九四四年沖縄生まれ。一九七二年に個人誌として『脈』を創刊、その後同人誌になり、一〇三号までつづきました。なかでも「写真家潮田登久子・島尾伸三」という特集は抜群で、比嘉さんでなければできなかった仕事です。『比嘉加津夫文庫』（全二〇巻）をはじめ、著書もたくさんあります。それは詩・小説・評論・絵画など多岐にわたるもので、その中核をなすのは島尾敏雄に関する論考といえるでしょう。

比嘉さんとお会いしたことはありませんけれど、その人柄を物語るような話が綴られています。比嘉さんは中学三年生の時、担任に呼び出されて、下級生の女の子にいたずらをした疑いをかけられたのです。身に覚えない嫌疑に、抗弁もできないまま、くやしさに滂沱するのです。数日後、担任は「すまなかったな。名前が同じだったから」とこっそり言ったそうです。この理不尽な仕打ちに、傷ついたことは間違いありません。でも、比嘉さんはそれに屈服しない確かな見識を獲得するとともに、南方系のおおらかさを持ちつづけたのです。

わたしに比嘉さんが亡くなったことを伝えてくれたのは宮城正勝さんです。比嘉さんは七四歳、岡田さんは六九歳でした。岡田さんは一九五〇年京都生まれ。『あなたと肩をならべて』と『アフターダンス』の２つの詩集があります。

＊　＊　＊

『ふたりの村上』の成立

1

わたしが吉本隆明著『ふたりの村上』を企画した〈モチーフ〉は、つぎの「帯文」の草稿につくされています。

現代文学をリードしてきた村上龍と村上春樹。
その魅力と本質に迫る論考群。
〈ことば〉は世界に拮抗する、
これが吉本文学論の基調である。

この構想のもと、わたしは「吉本隆明の村上龍・村上春樹論」という一文を書き、『脈』一〇一号の原稿として出稿しました。しかし、その後『ふたりの村上』が公刊される見通しとなり、「解説」を担当することになったのです。わたしは重複を避けるため原稿を取り下げ、急遽「〈対話〉について」に差し換えました。

『ふたりの村上』の成立の経緯は次の通りです。

わたしは未収録の追悼文の増補と編集（構成）を見直した『追悼私記　完全版』が作られるべきだとおもい、その実現を目指していました。なかなかうまくゆかなかったのですが、ハルノ宵子さんのはからいにより講談社文芸文庫として刊行されることになりました。

その編集過程で、担当編集者のT氏から「解題」の執筆依頼を受け、わたしは吉本さんが追悼文を認めた四四名の方々の生没年度、代表的著作、対談や座談会の記録など客観的な関わりを記したいと考えました。しかし、宮田勘吉さんと小野清長さんの生年月日が分かりませんでした。

宮田さんについては、山形県の齋藤清一さんにお願いして、米沢高等工業学校の同窓会事務局に問い合わせていただきました。でも、「個人情報保護」の観点から教えることはできないと断われたとのことでした。

困ったわたしは、旧版を編集した小川哲生さんならご存知かも知れないと思い訊ねました。生年月日は分からなかったのですが、宮田さんはある企業の重役を務めた方で、その会社の総務部に聞けば分かるでしょうという教示を得ました。わたしが問い合わせても、また「個人情報保護」の壁にぶつかる惧れがありますので、版元から事情を説明して調べてくださいと申し入れました。

また小野清長さんについては、T氏が「文献堂書店」のあった早稲田の古書店街で調べてくれたのですが、残念ながら分かりませんでした。それで「生年不詳」としたのです。講談社の校閲部は日本で最も大きな出版社の校閲部にふさわしく優れていて、細かな疑問点も逐一指摘してくれ、ずいぶん助かりました。

小川さんへの問い合わせの際、じぶんの構想にもとづいて、《小川さんが手掛けた吉本さんとの仕事で、途中で中断し未完結に終わった『吉本隆明全集撰』があります。未刊の第2巻には書下ろしの「村上龍・村上春樹論」が予告されていましたが、実現しませんでした。それを別の形でやられたらどうでしょうか、その気がありましたら、なんでも協力します》と伝えたのです。そして、実際に両村上論の「著作リスト」と『吉本隆明資料集』のために入力した本文データを提供しました。

ついでにいえば、個人情報保護法とは、「保護」という名目の〈自由の制約〉であり、国家の〈情報管理〉の徹底化と、寡占的な〈情報売買〉を促進するものでしかないのです。

小川さんの要望で「解説」を引き受けたのですが、その中で「両村上の全盛期は過ぎた」とわたしが記していたのに対して、担当編集者のFさんから「村上春樹氏はいまもダントツの売れ行きの作家です」という疑義が出されました。わたしはこれについて、小川さんとのやりとりのひとつを示すことで応答しました。

『ねじまき鳥クロニクル』の「ハゲ」のところは、「勘定」ではなく「鑑定」ではないか。

また、吉本さんは「ゆえん」を「所縁」と表記しているが、「所以」「由縁」にすべきではないかという問い合わせにお答えします。

まず笠原メイのところですが、「勘定」が正しいです。メイは駅から出てくる人々の頭髪の薄くなっている度合いを松・竹・梅の3段階に分けて、カウントするのです。交通量調査みたいな、禿げの程度のチェックですね。

余計なことですが、この描写はユーモアを超えた村上春樹の禿げに対する〈悪意〉を感じさせます。わたしは白髪系統で禿げではありませんから、これに反発することはありませんが、それを気にしている人からすれば、たぶん不愉快な表現でしょう。『1Q84』にもあります。女主人公青豆と女性警官あゆみの二人が男漁りをやるのですが、禿げた男とセックスする時、その禿げ頭を撫ぜるのが快感なんだと、二人して語り合う場面があります。

次に「所縁」ですが、そのままがいいと思います。「意志」はすっかり「意思」に統一されてしまいましたが、わたしは「用語規制」はナンセンスと思っています。言葉は時代とともに変化しますが、その必然的推移はいいのですけれど、アホの文部科学省やバカの言語学者が集まって、「ヴ」の廃止を決定するのは愚かなことです。

例えば夏目漱石の小説は当て字のオン・パレードです。それで漱石が表記について無関心であったかというと、そうではありません。漱石は漢学塾の二松学舎で学んでいますから、そういう知識は豊富だったのです。そのうえで、自在に当て字を使っているのです。まあ、仏典など読むと、いかに現在の用語の範囲は狭いか、すぐに分かります。「所縁」もそこからきているのかもしれません。

担当のFさんとのやりとりで、わたしの「両村上の全盛期は過ぎた」という表現が問題になったようですが、これにはわたしなりの根拠があります。

小川さんやFさんがどれくらい両村上の作品を読んでいるかは知りませんけれど、村上春樹でいえば、わたしは『1Q84』を読んで以降、彼の作品を読む気がしなくなりました。それを具体的にいいますと、『1Q84』は『世界の終りとハードボイルド・ワンダーランド』以来の村上春樹の得意とするパラレル・ワールドとして、「青豆の章」と「天吾の章」が交互に展開されます。しかし第3巻に至って、それで作品を持ち堪えることができなくなり、新たに「牛河の章」が加えられたのです。これによって物語は著しく弛緩し、作品世界は完全に破綻しました。これはこの作品の失敗に止まらず、村上春樹の〈崩壊〉を意味するとわたしは思いました。

それはこれだけの実力を有する作家ですから、これからもそれなりの作品を書くでしょう。でも、この破綻と崩壊を克服する可能性はないかもしれません。

一方、村上龍は『イン ザ・ミソスープ』後、これを越える作品を書いていないような気がします。村上龍の危うさは、例えば『愛と幻想のファシズム』もそうですが、ヒットラーの自伝を下敷きにしています。その元ネタを作品として凌駕できなければ、ただの模倣作になってしまいます。

作家はゆきづまるとみんなそうです。素材を外部に求めるのです。『ヒュウガ・ウイルス』などウイルスに関する知識と情報を仕入れて、作品を作っています。ネタ文学です。そんなものは村上龍の本領からの転落でしかありません。〈快楽〉と〈暴力〉の突出という彼の売りはどこにいったのかと思いました。

また彼は自作の権益保護のために、知り合いの作家にも呼び掛けて電子出版に乗り出しました。それは大手出版社にこれ以上搾取されるのは嫌だと思い、コミックの世界では『ゴルゴ13』のさいとうたかをがリイド社という出版社を立ち上げ、また『子連れ狼』の原作者の小池一夫が小池書院を作ってやっていますが、そんなことに村上龍は手を染めるべきではありません、原稿料の値上げ要求なら分かりますけど。これも作家的停滞の現れのひとつとわたしは思っています。

これが「両村上の全盛期は過ぎた」という根拠です。

ただ、さびしいのはこの二人をトータルに越えるような新しい作家が現れないことです。

高橋源一郎や島田雅彦も小説だけでは食えないので、大学教授になっています。そんな根性なのにＮＨＫの教育番組に出演し、文学について講釈を垂れているのです。ほんとうはみじめなのに、そう思っていないところが、その〈堕落〉の本性です。

両村上の限界をあえて歴史の展開に結びつければ、村上春樹は地下鉄サリン事件が〈作家〉としての命取り。村上龍の場合はアメリカ・ツインタワービル襲撃によって、彼のもつアナキーな反抗意識が〈無効化〉したということではないでしょうか。
こんな身も蓋もないことを言っても、二人を侮るつもりは少しもありません。作家はかなり幸せな存在です。優れた作品のエロスは読めば、いつでも甦るからです。

もう何年前になるのか。早稲田が革マルのお庭になっていた頃、水道橋駅を降りて、橋を渡ったところに「SWING」というジャズ喫茶があった。村上さんは俺より先にその店でバイトしていた早稲田の「先輩」だった。暇だったから、時給120円のバイトでも俺はよかった。お客のいないときに、勝手にコーヒーを淹れて、古いジャズを聴いていられるなら、それでいい。
村上さんが俺に話しかけてくれた。当時、俺は誰とも話はしたくなかった。だから、新入りのバイトのくせに、「俺に話しかけんじゃねえよ」と村上さんにガンを飛ばした。村上さんはちょっと凍った。申し訳ないことをした。その後、村上さんと話したことは、「文芸科です」「演劇科です」だけだった。店にときどきいい女が来た。他のバイト仲間によると、「あれが村上さんの女だ」ということだった。その後の奥さんと同じ人なのかどうかは知らない。背のすらりとした人だった。村上さんは、比較的チビで、太りぎみだった。
夜11時頃店が終わると、飲み物を各自勝手に作って、黙ってもぐもぐとパンをかじった。話をしたがらないとわかると、村上さんは黙って、よくビリー・ホリデイのレコードを回して聞かせてくれた。

（中略）

田舎の市営住宅に引っ込んでしばらくした頃、文庫本を買って家に帰った。「新潮文庫今月の新刊」みたいなカラー印刷のやつが文庫本の中にはさまれていた。それを広げていたら、作家の写真がいくつかあるうち、この顔は知っていると思った顔があった。作家の名前が村上春樹だった。ああ、あの、水道橋の、「SWING」の村上さんだ。

（根石吉久「『快傑ハリマオ』創刊号編集中記」）

作家以前の村上春樹の姿が描かれています。思えば遠くまで来たものです。

2

『ふたりの村上』は二〇一九年七月に論創社から刊行されました。

それにともなって、紹介記事と書評が出ました。わたしの知っているのは『東京新聞』「大波小波」（二〇一九年八月一日）、『毎日新聞』の新刊紹介（同年八月一一日）、『週刊読書人』川村湊書評（同年九月一三日号）、『図書新聞』久保隆書評（同年九月一四日号）の四つです。わたしは『毎日新聞』の紹介は的確だと思いました。曰く《今や現代日本文学を代表する2人を著者が度々論じたのは当然に思えるが、歴史的にいえばむしろ吉本が早い時期から注目したことは、彼らの世評を高めるうえで力があった》と。「大波小波」も悪くありません。いちばんひどいのは川村湊です。

川村湊の書評には呆れました。彼は《吉本氏が『ふたりの村上』を書かなかったのは必然だ》と結論づけていますが、『吉本隆明全集撰』第2巻「文学」は一九八八年六月下旬刊行予定だったのです。もし「ふたりの村上」という論稿が書かれていたとしたら、「村上春樹『ノルウェイの森』」（一九八七年一二月）と「『ダンス・ダンス・ダンス』の魅力」（一九八九年二月）の間にくるものです。それすら分かっていないのです。

川村湊は以前にも『歴史としての天皇制』（作品社・二〇〇五年四月刊）の「解説」の中で、雑誌『文藝』初出の吉本隆明・網野善彦・川村湊の鼎談「歴史としての天皇制」が《その後活字にならず、そのままになっていることを嘆いている》と書いていました。しかし、この鼎談は吉本隆明『〈信〉の構造　対話篇〈非知〉へ』（春秋社・

一九九三年一二月刊）に既に収録されており、おのれの怠慢と見識の欠如を衆目にさらしたのです。

川村湊は村上春樹、村上龍の作品が《「現在」から「現実」に逃避した》といっていますが、自分を棚上げした便乗的な口説で、わたしはこんな内発性の乏しい文芸批評家をみると、作家に同情します。

わたしも最近の両村上に批判的ですが、本の売れ行きはともかくとして、村上春樹『海辺のカフカ』より村上龍『イン ザ・ミソスープ』のほうが、同じような主題を扱ったほぼ同時期の作品として良いのではないか。『イン ザ・ミソスープ』はフランクの不気味な存在感とともに、迷子の描写はこどもの〈本性〉を鋭くとらえたものです。それに比較すると『海辺のカフカ』は〈父親殺し〉をモチーフとしていますが、主人公の少年に余計なものを被せすぎています。漱石全集の読破をはじめ作家の現況の過剰な投影が作品を冗漫にしているのです。ホラー仕立てで、時代の閉塞感を如実に描くことによって、若年層の共感を得たことは確かですが、作品の〈生命力〉からいえば、そんなに時間の風化に耐えるとは思えません。

申すまでもなく、もっともらしいケチをつけるのが文芸批評家の仕事ではありません。作品と真摯に向かい合い、作品の本質をじぶんのなかに受けいれ、そのうえで作品を客観的に開くことではないでしょうか。それがとりもなおさず作品の〈価値〉と作家の〈宿命〉に接近することであり、批評の存在意義のひとつといえるでしょう。

そういう意味でいえば、この書評に限らず川村湊の評論は、小林秀雄や吉本隆明や江藤淳は言うに及ばず、平野謙や奥野健男や磯田光一の批評の〈水準〉とも較べものにならない、文芸批評の〈低迷〉のつまらない実例でしかありません。

『ふたりの村上』の特徴は、なんといっても〈同時代性〉です。それは一定の評価の定まった古典を論ずるよりもはるかに困難が伴うかもしれません。そこで決定的に重要なのは情況に対する洞察力です。そこでは作家も、文芸批評家も、わたしたちも、同じように〈格闘〉するほかないのです。その格闘する姿が、この本の最大の魅力ではないでしょうか。

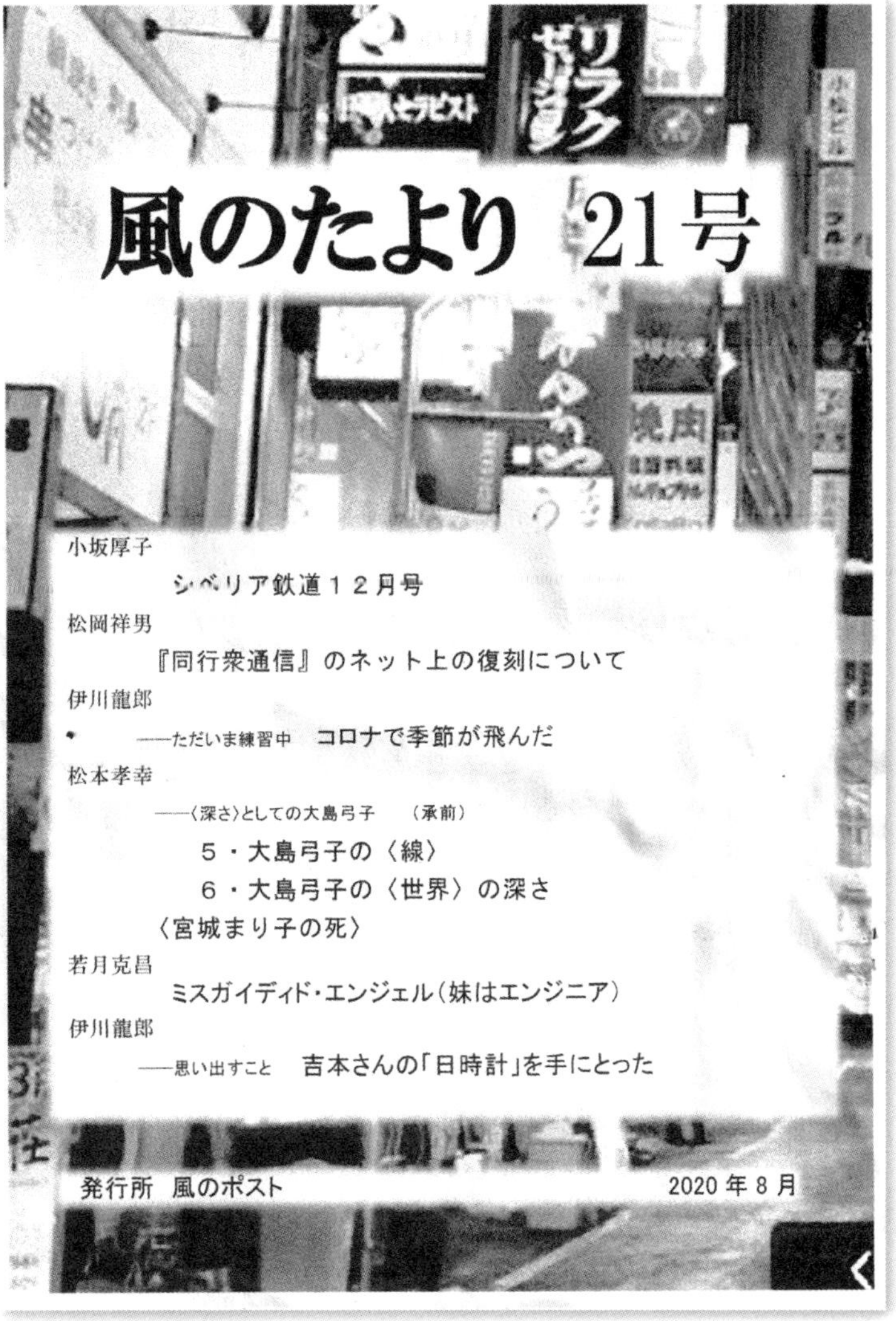

風のたより　21号

小坂厚子

シベリア鉄道１２月号

松岡祥男

『同行衆通信』のネット上の復刻について

伊川龍郎

――ただいま練習中　コロナで季節が飛んだ

松本孝幸

――〈深さ〉としての大島弓子　（承前）

５・大島弓子の〈線〉

６・大島弓子の〈世界〉の深さ

〈宮城まり子の死〉

若月克昌

ミスガイディド・エンジェル（妹はエンジニア）

伊川龍郎

――思い出すこと　吉本さんの「日時計」を手にとった

発行所　風のポスト　2020年8月

購読者募集

○予約代（送料込み）　10号分（21～30号）予約 3600円
○１冊購入 450円（送料込み）
○郵便為替　00100-7-668847　○発行所　風のポスト
〒168-0065 東京都杉並区浜田山 4-27-26　伊川方

軍人・本村千代太と日中戦争のことなど年表的に（上）

増補改訂『吉本政枝 拾遺歌集』番外篇（二）

宿沢あぐり

吉本隆明の父・順太郎が参戦した「青島戦」は、第一次世界大戦がはじまった大正三年（一九一四年）当時、ドイツが占領し、ドイツ東洋艦隊の根拠地であった中国の青島・中国の膠州湾租借地（期限付きの借地統治）すべてを中国に還すことを目的に、日本帝国に引渡しと、東洋艦隊の武装解除を要求して、日本がドイツに宣戦布告し勝利した戦争である。

この戦争は、日露戦争に勝利した同盟国のイギリスが、日本に対ドイツ戦への参戦を要請したことで、帝国としての領土拡大をもくろんでいた日本は、絶好の機会と大義名分を得たことによる戦争だった。

そのときの順太郎の上官であった本村千代太は、明治二十六年（一八九三年）一月十二日、佐賀県に生まれ、明治四十四年（一九一一年）五月に陸軍中央幼年学校を卒業して士官候補生となり、大正二年（一九一三年）五月、陸軍士官学校を卒業（第二十五期）して、同年十二月に陸軍歩兵少尉として歩兵第五十六連隊第一大隊本部の第一中隊の小隊に所属しており、当時二十二歳の順太郎とは同い年の二十一歳であった。

その後の本村の軍歴は、つぎのとおりである。順太郎のその後と併せてみる。

大正六年（一九一七年）

二月二十六日　順太郎、松森エミと婚姻届出　二十四歳

八月六日　中尉　歩兵第五十六連隊第十中隊　二十四歳
九月二十二日　順太郎、長男・勇誕生
大正八年（一九一九年）
十一月五日　順太郎、次男・権平誕生　二十七歳
大正十一年（一九二二年）
七月二十二日　順太郎、長女・政枝誕生　二十九歳
大正十二年（一九二三年）
八月六日　大尉　歩兵第五十六連隊大隊副官　二十歳
大正十三年（一九二四年）
四月　順太郎一家、東京へ　三十一歳
九月一日　大尉　第十八師団副官（久留米）　三十一歳
十一月二十五日　順太郎、三男・隆明誕生　三十一歳（以下、順太郎の件省略）
大正十四年（一九二五年）
五月二日（？）　大尉　独立守備歩兵第一大隊中隊長（南満洲　現・中国東北部）　中国東北部の新京（現・長春）から渤海に突き出た遼東半島の大連に至る南満州鉄道を守備する任務　三十二歳
大正十五年（一九二六年）
八月六日　大尉　独立守備隊副官（南満洲　現・中国東北部）　中国東北部の新京（現・長春）から渤海に突き出た遼東半島の大連に至る南満州鉄道を守備する仟務　三十三歳
昭和二年（一九二七年）
五月二十七日　大尉　陸軍大学校附（現・北青山）　三十四歳

本村千代太支那駐屯歩兵第一連隊長
（『支那駐屯歩兵第一聯隊史』より）

昭和五年（一九三〇年）
八月一日　少佐　近衛歩兵第二連隊附（現・北の丸公園内）「陸軍現役将校学校配属令」による軍事教練指導のため東京府立第三商業学校服務（江東区越中島）　三十七歳
昭和八年（一九三三年）
四月十日　少佐　近衛歩兵第四連隊大隊長（赤坂区青山北町）　四十歳
昭和十年（一九三五年）
三月十五日、中佐　近衛歩兵第四連隊附　東京外国語学校服務（麹町区竹平町　文部省跡地）　四十二歳
昭和十二年（一九三七年）
八月十二日　中佐　関東軍兵事部員（直属部隊　満洲国首都・新京市　現・長春）　四十四歳
昭和十三年（一九三八年）
七月十五日　陸軍歩兵大佐　四十五歳
昭和十四年（一九三九年）
三月九日　大佐　第二十七師団支那駐屯歩兵第一連隊　連隊長（北平　現・北京）　四十六歳
昭和十五年（一九四〇年）
八月一日　大佐　北支那方面軍司令部高級副官・副官部の長（北平　現・北京）　四十七歳
昭和十七年（一九四二年）
八月一日　少将　第一軍第六十九師団歩兵第五十九旅団　旅団長（山西省汾陽）　四十九歳
昭和十九年（一九四四年）
六月十一日　少将　戦死　任中将　五十一歳

本村は、軍歴のとおり大正十二年（一九二三年）八月六日、大尉となり、歩兵第五十六連隊大隊の副官になったが、翌大正十三年（一九二四年）九月一日、命により大尉として第十八師団の副官になる。本村が三十一歳のときである。

第十八師団は、日露戦争後の明治四十年（一九〇七年）十一月十三日に創設された大日本帝国陸軍の師団のひとつであり、同年十二月五日に福岡県の久留米市に司令部が置かれ、本村や順太郎が参戦した「青島戦」にも主戦力として参戦している。

大正三年（一九一四年）七月二十八日から大正七年（一九一八年）十一月十一日までおこなわれたといわれる第一次世界大戦であるが、戦争状態はその後もつづき、大正十二年（一九二三年）になってからようやく終結している（このわずか十六年後の一九三九年に第二次世界大戦が勃発する）。

最終的に三十か国以上が参戦し、戦争にまきこまれた国もふくめると五十か国ほどにもなり、この戦争による死者は大規模な殺戮もあり一、六〇〇万人以上にもおよぶ人間とそれ以上の生命が失われてしまった「世界戦争」だった。

この「世界戦争」は、数多くの国の軍備の拡張をもたらし、軍事費は国家予算の半分まで占めるようになり、その経済的な負担は国家予算への圧迫をまねくことになってしまった。このようなことから、戦争終結後は、国家の破綻を危惧する各国が社会的にも経済的にも疲弊し、世界的に軍備の縮小へのうごきが高まった。

日本もまた例外ではなかった。

第一次世界大戦時の戦争特需による「好況」から終結後の反動「不況」、軍備縮小ということで、軍にも当然ながら圧力がかかることになった。

これより二年前の大正十年（一九二一年）、イギリス、フランス、イタリア、アメリカ、日本は、ワシントンD.C.において十一月十一日から翌大正十一年（一九二二年）二月六日まで開催されたワシントン会議で、海軍の兵力の軍備縮小として、戦艦や航空母艦などの保有制限が協議された結果、ワシントン海軍軍縮条約が締結された。

こうした海軍の軍縮は、当然ながら陸軍への圧力ともなった。

帝国議会は陸軍にも軍備縮小を求めた。

そのひとつとして、南満洲鉄道を守備していた歩兵隊である独立守備隊の内地への撤退が検討された。

明治三十七年（一九〇四年）から翌年にかけて戦われた日露戦争終結にあたって、大日本帝国とロシア帝国が明治三十八年（一九〇五年）九月に調印した講和条約であるポーツマス条約により、日本はロシアの満洲における権利を継承し、これを同年十二月の北京協約によって中国に承認させたが、事実上ロシアから獲得した租借地の遼東半島先端部の関東州と、東清鉄道の南満洲支線であった南満洲鉄道の付属地を守備していたのが、関東軍の前身である関東都督府の陸軍部であった。

明治四十年（一九〇七年）十一月に、南満洲鉄道の事業経営にあたる南満洲鉄道株式会社設立。翌年四月には調査部（通称「満鉄調査部」）が設置される。

大正八年（一九一九年）に関東都督府が関東庁に改組されると同時に陸軍部が関東軍として独立し、同年四月十二日に司令部が関東州旅順市初音町に設置されて本格的に始動した。そして、南満洲鉄道を守備する歩兵隊として、六大隊編制の独立守備隊が組織されたのだった。

南満洲鉄道は、中国東北部の新京（現・長春）から渤海に突き出た遼東半島の旅順に至る延長約一、一〇〇キロメートルの鉄道で、権利として一キロメートルにつき十五名の鉄道守備兵を置くことがふくまれており、これを満たすことになると一六、五〇〇人の守備兵が必要であったが、実数としては約一万人ほどが守備についていた。

この独立守備隊が、極東における軍事的脅威が薄らいだこともあり、軍備縮小の対象となったわけである。

原敬内閣で大蔵大臣を務め、原が暗殺されたことから、第二十代の総理大臣（大蔵大臣兼任）となった高橋是清による財政再建から軍縮政策もあったが、その後を継いだ加藤友三郎内閣の陸軍大臣・山梨半造は、大日本帝国陸軍史上初めてとなる軍備縮小を大正十一年（一九二二年）八月と翌大正十二年（一九二三年）四月に実施した。

しかし、二回にわたっておこなわれた名目上の軍備縮小は小規模の整備にしかならなかったことに加え、大正十二年（一九二三年）九月一日に発生した関東大震災は、社会的にも経済的にも大きな打撃となり、その復興費用の捻出なども緊急の課題となり、政府や国民の間にも不満がたかぶっていた。

こうしたことから、大正十四年（一九二五年）、加藤高明内閣の陸軍大臣・宇垣一成は、第三次軍縮整理とも呼ばれる軍備縮小として、全国の師団のうち四個師団を廃止し、約三三、〇〇〇人ほどの将兵の削減と軍馬約六、〇〇〇頭余りの削減をおこなった。

これは、軍内部の不満をたかめることとなったが、現役将校の救済措置の一環として、大正十四年（一九二五年）四月十三日に「陸軍現役将校学校配属令」を施行して軍事教練を教化する一方、退役する将兵への退職金の支払いや再就職のあっせんなどもおこなった。

ここまでの結果、約十万人いた将兵が削減され、平時の兵力の約三分の一になった。

ただ、こうしたことの裏面では軍備の整理と近代化を推進し、戦車連隊や高射砲連隊、飛行連隊の新設などもあり、予算的には削減は一割程度にとどまった。

このとき廃止の対象となった四個師団のひとつが第十八師団であり、大正十四年（一九二五年）五月一日に廃止となった。

この廃止された第十八師団は、盧溝橋事件に端を発したとされる「支那事変」（北支事変）の勃発により、昭和十二年（一九三七年）九月九日には再編成されることになる。

本村は、このような陸軍の状況のなかにあって、退職することなくそのまま軍人としての道を歩んだのである。

それゆえ、大正十四年（一九二五年）九月一日調による陸軍省編「陸軍現役将校同相当官実役停年名簿」では、配属年月日はなく大尉のまま、独立守備歩兵第一大隊中隊長となっている。

配属に空白があることはかんがえられないので、独立守備歩兵第一大隊中隊長となったのは、第十八師団が廃止された翌日の五月二日ではないかとおもわれるが不明である。

前述したとおり、本村が任務についた独立守備歩兵（独立守備隊）は、軍備縮小の対象になっていた。

歩兵は、六大隊で組織され、公主嶺、奉天、大石橋、連山関、鉄嶺、鞍山などに置かれ、そのほかの要地にも分遣隊のような部隊が駐屯していた。

軍備縮小の対象は、はじめはこの六大隊すべてが検討されていたが、このうち第五、第六の二大隊だけが、大正十二年（一九二三年）三月三十一日に廃止され、残る四大隊はそのまま廃止されることなく南満洲鉄道の守備にあたることとなった。

ちなみに、「守備勤務教則」によれば、独立守備隊の任務は「南満洲ニ在ル鉄道線路「之ニ沿フ鉄道附属地、通信設備及ヒ鉄道運行ニ要スル施設ヲ含ム」ヲ守備スルニ在リ」とされていた。

ただ、二年後の昭和四年（一九二九年）には、再び六大隊に戻されている。日中関係に緊張がたかまったからである。

本村は、独立守備歩兵第一大隊中隊長として、本部は公主嶺であるが、第一中隊は四平街、第二中隊は公主嶺、第三中隊は郭家店、第四中隊は長春に配置されており、このいずれかの中隊の長となっていたとおもわれる。

大正十五年（一九二六年）

八月六日　本村は、大尉のまま、独立守備隊副官（南満洲　現・中国東北部）となり、公主嶺に置かれていた独立守備隊司令部、もしくは独立守備歩兵第一大隊のいずれかに配属された。

昭和二年（一九二七年）

五月二十七日　やはり大尉のまま青山北町一丁目（現・北青山）にあった陸軍大学校附として、二年ぶりに無事に内地に帰還したのである。このとき、本村は三十四歳である。

この陸軍大学校時代三年間のことは不明。

昭和五年（一九三〇年）

八月一日　本村は少佐となり、大日本帝国陸軍最初の歩兵連隊のひとつで、現在の北の丸公園内にあった近衛歩兵第二連隊附として、昭和三年（一九二八年）の一月に設立許可され、この年の四月に現在地の江東区越中島に第一期の校舎が完成した東京府立第三商業学校（現・東京都立第三商業高等学校）に服務。

昭和八年（一九三三年）

四月十日　本村は、赤坂区青山北町四丁目にあった近衛歩兵第四連隊大隊長。

昭和十年（一九三五年）

三月十五日　本村は中佐となり､近衛歩兵第四連隊附として麹町区の竹平町（現・千代田区一ツ橋一丁目）にあった東京外国語学校に服務。

本村にとって、昭和二年から十二年までの十年間ほどが、最も平穏な日常ではなかったかとおもわれる。家族とも一緒に暮らすことができ、吉本順太郎のところにもひとりで、また家族とともにたびたび訪れていた。このときのことは、吉本が『父の像』で書いているとおりである。

昭和十二年（一九三七年）

八月十二日　本村は中佐として、関東軍兵事部員としての任務で満洲国に出国して以降、内地に帰還することはなかった。

本村が昭和二年（一九二七年）に内地に帰還した頃から、中国大陸ではいくつかの対立と休戦を繰り返しながら、戦争への道が確実につくられていった。

ここからは、軍人としての本村千代太に関連したことを含めて、少しさかのぼったところから年表的にみていくことにする。

昭和三年（一九二八年）

六月四日　張作霖爆殺事件

当時、北京に拠点があった奉天軍閥の張作霖は、親日的な状況から脱し、つまり日本の傀儡政権になることを拒否して自立した政権をめざし、次第に関東軍との距離をとりはじめていたが、満洲支配をもくろむ関東軍にとっては、目障りなこの張作霖をどうしても失脚させたかった。そのようなとき、蒋介石率いる国民革命軍は、北伐として張作霖の奉天軍を倒すために北京に攻撃をしかけこれに成功。張作霖は息子の張学良たちの説得もあり、北京を捨てて満洲の奉天に撤退し態勢を整えようとしていた。これには日本軍が国民革命軍の奉天攻撃を阻止するという条件があったからだった。このことは関東軍にとっては失脚させる絶好の機会となった。もちろん日本政府に知られてはならないことだった。

この「満洲某重大事件」と呼ばれた事件を画策したのは、関東軍高級参謀の河本大作大佐だとされているが、関東軍以外にも独立守備隊や在朝鮮軍工兵大隊などをまきこんで用意周到に計画実行され、その列車爆破前後の写真まで順を追って撮影されていた。河本は一年の停職処分のみ。事件に加担した者たちはその後昇進。

なお、この列車爆破時の写真は、太平洋戦争研究会編著『石原莞爾と満州事変』（二〇〇九年十二月十五日　PHP研究所刊）に掲載されており、そのなかの一枚が、「1928年6月4日午前5時53分、張作霖の乗った列車が爆破された瞬間（儀我壮一郎氏提供）」と題されて『歴史読本』編集部編『関東軍全史　その戦闘・事件・人物のすべて』（二〇一二年四月十一日　新人物文庫刊）にも掲載されている。

十月二十日　石原莞爾陸軍中佐、関東軍作戦主任参謀として渡満。この日、旅順に到着。

石原は、彼の持論である最終的な日米戦争をふまえた関東軍による満洲占領計画を積極的にすすめていくことになる。

十二月二十九日　奉天の張学良は、蒋介石の国民政府の傘下に入る。

アメリカは、蒋介石の国民政府が満洲を統一することを望んでいた。

昭和四年（一九二九年）

五月十四日　板垣征四郎大佐、「満洲某重大事件」の河本大作大佐の後任として赴任。

昭和六年（一九三一年）

九月十八日夜半　関東軍の石原莞爾作戦参謀と板垣征四郎高級参謀たちの謀略による奉天郊外の柳条湖における満鉄線路の爆破（柳条湖事件）。満洲事変。

支那兵（中国兵　張作霖の長子・張学良の兵）の攻撃にみせかけ、反撃するという作戦。この後、すぐに線路などを復旧させ、つぎの列車への影響をなくした。これと同時に、すでに準備していた関東軍隷下にあった第二師団と独立守備第二大隊は北大営、奉天城、飛行場を攻略し、十九日の午前六時までには占領。他の部隊も次々に武装解除し占領。こうして関東軍は、二十一日までに吉林を占領し終える。中国側はすぐに日本の侵略であるとして国際連盟に提訴。

九月二十三日　国際連盟、この問題で緊急理事会開催。

三十日　国際連盟理事会、問題は日中双方で解決するよう要望決議。

十月四日　関東軍、満洲の新政権樹立を声明発表。

八日　関東軍、奉天を追われた張学良が仮政府を設けていた錦州爆撃。

二十四日　国際連盟理事会、日本の期限付き撤退案可決。

十一月十九日　関東軍、要衝チチハル占領。

昭和七年（一九三二年）

一月　南京に合作政権成立。蒋介石が下野し、孫文の子である孫科が行政院長（首相）になったが、下旬には広東派が失脚し、孫科政権崩壊。蒋介石が政権に復帰。

三日　関東軍、錦州占領。

二十八日　第一次上海事変。

二月五日　関東軍、ハルビン占領。
三月一日　満洲国建国宣言。首都を長春、名を新京と改名。国際連盟のリットン調査団現地入り。
五月十五日　犬養毅首相暗殺。
九月十五日　日本政府が満洲国を正式に承認（日満議定書調印）。
十月二日　リットン報告書公表。

昭和八年（一九三三年）

二月　関東軍、熱河作戦開始。国際連盟の対日批判さらに強まる。
　下旬　国際連盟、満洲における中国の主権と領土保全を原則とする、あらゆる軍隊の撤退による非武装化を結論づけたリットン報告書に基づく「事変解決勧告案」可決。
三月二十七日　大日本帝国、国際連盟脱退通告（二年後に正式発効）。
五月末　日中軍事当局による停戦協定調印（満洲事変終結）。

昭和九年（一九三四年）

この年、中国の蒋介石と汪兆銘（汪精衛）による合作政権と満洲国との実務的な合意がなされ、しばらくは華北は安定化に向かう。しかし、この安定化も長くはつづかなかった。
中国政府は満洲国の承認については一貫して拒否しつづける。

昭和十年（一九三五年）

この年に入ってから、さまざまな事件が勃発。
九月二十一日　第二十四旅団長（久留米）だった東條英機陸軍少将渡満、関東憲兵隊司令官・関東局警務部長として就任。
十一月　中国政府、銀本位制を廃止して管理通貨制に移行、銀を国有化する幣制改革を実施。これを英米支援。

日本は反発。

昭和十一年（一九三六年）

二月二十六日　二・二六事件。

五月　支那駐屯軍は、華北分離工作を計画する関東軍をけん制することなどを目的に、兵力を三倍の約五、八〇〇に増強。これに中国反発。中国各地で対日感情が高まる。

華北分離工作は、万里の長城以南に設けられた非戦闘地域を拡大して、華北一帯に親日政権を樹立して対ソ戦における後背を守備する計画。これと並行して、後に中国の反日感情をさらに高めた「内蒙工作」も計画。

十月　すでに「満洲産業開発五ケ年計画」の原案づくりの中心にいて、産業経済政策、特に統制（計画）経済において評価の高かった岸信介、商工省工務局長（対満事務局事務官兼任）から、満洲国の産業開発のために、満洲国の国務院実業部（のち産業部）総務司長として渡満。これには関東軍の要望もあった。この関東軍には満洲国の経済建設に携わり、後に陸軍省戦争経済研究班の中心人物となる秋丸次朗がおり、「満洲産業開発五ケ年計画」に深くかかわることになる。

岸は三年後に満洲を去る。

十二月十二日　西安事件。

国民政府の蒋介石は、共産党討伐に消極的だった張学良を戦わせるため、西安を訪れたが、張学良は国民革命軍第十七路軍の楊虎城とともに、共産党との内戦を停止し、抗日を訴えて蒋介石を拘禁した。これに対し、蒋介石が拒んだために、張学良は共産党の周恩来に相談、周恩来は蒋介石に共同での抗日を説得、張学良には蒋介石の解放を説得、蒋介石の妻も夫を説得、蒋介石はこれによって、国内の共産党討伐をやめて共同で抗日運動に方針を転換することになる。

この年、満洲国建国以来、満洲、内蒙古、いわゆる満蒙開拓移民政策は、国策としてさらに推進されることになり、マスコミもプロパガンダに加担して強制的ともいえる移民政策になる。

昭和十二年（一九三七年）

三月一日　東條英機陸軍中将、関東軍参謀長に就任。

七月　岸信介、国務院産業部次長に就任。

この年度は、「満洲産業開発五ケ年計画」の実施初年度。豊満ダムの施工に満鉄が着手。また水豊発電所の建設にも着手。こうした事業の華々しさにあって、徴用された労働者たちの苛酷、劣悪、搾取に加え、数多くの犠牲死、水没対象地域の農民たちへの圧力と強制排除（賠償金があったとしても）もあった（南龍瑞「「満州国」における豊満水力発電所の建設と戦後の再建」、広瀬貞三「「満州国」における水豊ダム建設」参照）。他の工事などでも同様。また、植民地支配下（朝鮮、台湾）における虐殺、性的暴行等の行為は、占領地とは違い、自国民に対する行為であるという理由によって「戦争犯罪」にはならなかった。そもそも戦争じたいは世界的に犯罪とはみなされていないが、結果的に戦勝国、他国民に対する「戦争犯罪」が対象として裁かれることになる。

七日　盧溝橋事件勃発。

この日夜十時過ぎ頃、北平近郊の豊台に設営されていた兵舎を出発した支那駐屯軍歩兵第一連隊の第三大隊第八中隊が、鉄道が交わる盧溝橋付近の河原で演習中に、銃弾が撃ち込まれた。この際、兵士が一人行方不明になった。線路の向い側には中国の国民革命軍第二十九軍第三十七師の一部隊が駐屯していた。第八中隊は、この中国側からの攻撃とみて、翌朝攻撃。中国側もこれに応戦し、交戦状態となったが、午前中には停戦。行方不明だった兵士も隊に復帰していた。ことの真相はいまだに不明となっている。この事件をきっかけに、日本、中国双方が戦争へとさらに突きすすんでいく。

八日　中国共産党は各地に抗日抗戦の電文を発信。

十一日　現地での停戦協定が成立したが、近衛内閣は盧溝橋での事件を「北支事変」と命名。この日、中国では周恩来と蒋介石が、抗戦における軍の改編と指揮の問題について会議。

二十五日　北平近郊の廊坊で日中両軍交戦。

二十六日　北平の広安門で日中両軍交戦。

二十七日　華北分離工作によって樹立されて北平近くの通州に置かれていた冀東《きとう》防共自治政府の冀東保安隊幹部訓練所を、関東軍の爆撃機が誤爆。死傷者が出る。

二十九日　通州事件。

この日、親日派とおもわれていた中国人によって組織された冀東自治政府保安隊が反乱。通州の日本軍守備隊や特務機関を襲撃して潰滅させ、日本人居留民を子ども、女性をふくめ二百名以上凌辱、虐殺。首謀者は逃走。同日、日本軍、北平占領。この通州事件は、後の南京事件の凌辱、虐殺とも通底している事件。

三十日　日本軍、天津を占領。

八月十二日　本村陸軍中佐は、関東軍兵事部員として渡満。

この日、国民党中央執行委員会は、蒋介石を最高指揮官に推挙。

十三日　日本政府、上海派兵決定。

十四日　中国国民政府、「自衛抗戦声明書」発表。

十五日　この日午前一時十分、日本政府はつぎのような「政府声明」を発表。

「（前略―宿沢注）支那側か帝国を軽侮し不法暴虐至らさるなく全支に亘る我か居留民の生命財産危殆に陥るに及んでは帝国としては最早隠忍其の限度に達し支那軍の暴戻を膺懲し以て南京政府の反省を促す為今や断乎たる措置をとるの已むなきに至れり此の如きは東洋平和を念願し日支の共存共栄を翹望する帝国として衷心より遺憾とする所なり然れとも帝国の庶幾する所は日支の提携に在り之か為支那に於ける排外抗日運動を根絶し今

次事変の如き不祥事発生の根因を芟除すると共に日満支三国間の融和提携の実を挙けんとするの外他意なく固より毫末も領土的意図を有するものにあらす又支那国民をして抗日に踊らしめつゝある南京政府及国民党の覚醒を促さんとするも無辜の一般大衆に対しては何等敵意を有するものにあらす且列国権益の尊重には最善の努力を惜まさるへきは言を俟たさる所なり」
（旧漢字を新漢字に変え、カタカナをひらがなに変える──宿沢注）

ここから「暴支膺懲《ぼうしようちょう》」（「暴虐な中国を懲らしめる、征伐する」というような意味）は、日中戦争初期のスローガンとなり、各新聞も大本営の発表に呼応するように国民に呼びかける。

日中戦争突入。

十六日　中国国民政府、国家総動員令を公布。

二十五日　中国共産党、「抗日救国十大綱領」発表。

九月二日　日本政府、「北支事変」を「支那事変」と改称。

二十七日　対ソ戦を見据えて中国との戦争への不拡大方針を唱える石原莞爾、関東軍参謀副長になる。これ以降、強硬的な方針の東条英機と対立が深まっていく。

十月二十五日　国の重要政策などの企画立案、物資動員の企画立案に携わり、各省庁、諸機関に実施させる役割をもつ企画院設置。

十一月十二日　日本軍、上海占領。

十八日　戦時でしか設置できなかった「大本営」を、戦時以外の事変にも対応できるように設置可能にした「大本営令」制定。

二十日　大本営設置。

十二月一日　大本営は、陸軍に対し、「海軍ト協力シテ敵国首都南京ヲ攻略スヘシ」と下令。

四日　この日から海軍航空隊による南京への爆撃。
七日　この日、南京死守を決めていた蔣介石、南京脱出。
十二日　揚子江上のアメリカ砲艦「パネー」（パナイ）などを日本の海軍航空部隊が爆撃し沈没させる事件が起こる。アメリカ政府はただちに抗議、日本政府は過失によるものであると陳謝、賠償にも応じると回答。
十三日　日本軍、南京占領。
この前後に起きた南京事件。
中国軍の南京逃亡時における一般家屋の焼き払いもあったが、日本軍の残虐行為も数多くあった。
この年、星野直樹や岸信介、秋丸次朗たちは、日産コンツェルンの総帥・鮎川義介に渡満するよう説得。鮎川は、ユダヤ人の受入れとユダヤ系アメリカ資本の誘致をおこなうことにより満洲開発促進と対ソ国防を構想した論文「ドイツ系ユダヤ人五万人の満洲移住計画について」を公表していた。
鮎川は説得に応じ、関東軍の支援を受けて日本産業株式会社（日産）の満洲移駐とともに、満洲の鉱工業の一元的統制を目的として設立された満洲重工業開発株式会社（満業）の初代総裁に就任。

昭和十三年（一九三八年）

三月　岸信介、国務院総務庁次長に就任。総務庁長官は星野直樹。
この年、前年に設立された企画院がおこなった米英との戦争遂行能力についての会議で、アメリカへの留学や駐米大使館付武官の経験もあった山本五十六海軍次官をはじめとする軍人や他の参加者たちもアメリカ、イギリスとの長期戦に耐えるだけの能力はない、との結論になり、この報告は近衛首相や外相に極秘に報告されていた。
五月五日　国家総動員法成立。
七月十五日　**本村**は、陸軍歩兵大佐となる。
九月一日　企画院の管掌する東亜研究所設置。

十二月十六日　中国での占領地に対する対日協力政権（傀儡政権）政策など対中国統括国策機関として、総理大臣を総裁とする国家機構的な権限をもつ興亜院を設立。四年にも満たない期間であったが、巨大な組織であり、国防の一環として経済や資源など一九〇〇点にもおよぶさまざまな中国調査報告もおこなわれた。

昭和十四年（一九三九年）

六月　興亜院蒙疆《もうきょう》連絡部経済課主任として大平正芳赴任。アヘン政策にもかかわることになる。

この年度の満州国の予算の六分の一がアヘンによる収入（関東軍の機密費などに活用）だったといわれている。アヘンの売買は国際条約違反だったが、特殊会社（ダミー会社）をいくつも経由して資金洗浄（マネーロンダリング）された。これに深くかかわっていたのは、アヘンと直接かかわる専売総局をつくった満州国政府の岸信介総務庁次長、古海忠之主計処長や、甘粕機関という民間の特務機関をつくった甘粕正彦、アヘン流通のための民間組織である宏済善堂を仕切っていた里見甫などの名前があげられるが、東條英機はもちろんのこと、満洲国政府、陸軍、蔣介石の国民党軍、イギリスなど、国際条約など無視したかたちでさまざまな組織、集団、国家が深くかかわっていた。また、イラン産アヘンの輸入取引には三井物産と三菱商事が競い合っていた。

岸はアヘンに直接手をつけなかったかもしれないが、関与していたことは公然の事実だった。ただ、忖度があったということである。

極東国際軍事裁判（東京裁判）では、アヘンについてもかなり詳細に報告されており、判決文において日本のアヘンや麻薬の売買を、政策として軍事行動と政治的発展に関連したものであり、中国の民衆に与えた悪影響を認定しているが、日本側の直接的な証拠資料等がほとんど破棄されていたり、連合国であるイギリスがアヘンにかかわっていたこともあり、この国際条約上の違法行為に対する直接的な犯罪行為をもとに裁かれたのは、陸軍大将でA級戦犯として終身刑を受けた荒木貞夫以下二十八人にすぎなかった。アヘンなどによる収益は、東條英機や岸信介たちや関東軍などの資金源にもなった。もちろん資金洗浄されたものである。そして、岸は、満洲での表裏一体とした人的関係と膨大な資金によって、政治家への道を歩んでいくことになる。この年、満洲を去ることになった岸が、大連で記者団の質問に答えたといわれる「満州国の産業開発は私の描いた作品だ」の「作品」には、おびただしい犠牲の血が塗りこめられている。

三月九日（支駐歩一会編『支那駐屯歩兵第一聯隊史』では十日）**本村陸軍歩兵大佐**は、第二十七師団支那駐屯歩兵第一連隊（通称号・極第二九〇二部隊）の連隊長として発令され、唐山にあった連隊本部に赴任。

この連隊は、昭和十一年五月二十九日に北京にて編成されており、当時の編成は、連隊本部と三ケ大隊および歩兵砲隊から成り、それぞれ中隊、小隊、分隊をもっていた。昭和十三年六月二十一日、第二十七師団の隷下となり、同年八月、警備態勢として連隊本部は北京から約一五〇キロ離れた河北省の唐山に、第一大隊は遷安に、第二大隊は古治に、第三大隊は豊潤にそれぞれ配置された。同年十二月には作戦上、北支那方面軍の直轄となり、昭和十四年一月八日、師団命令により河北省の冀東地区の警備にあたり、この任務は昭和十八年八月八日まで続くことになる。また、同年二月二十一日の部隊編成改正により、今まで歩兵九コ中隊編成であったものを、第一大隊四中、第二大隊八中、第三大隊十二中の歩兵十二コ中隊編成となった。隊員は千人以上。

本村は、この連隊に三代目の連隊長として赴任した。

五月五日　国家総動員法施行。

この月、ノモンハン事件勃発。

九月までソ連軍と関東軍の戦闘が続く。満洲国北西部の国境であるノモンハン付近のモンゴル兵数十名が越境。これに満洲軍兵士との間で武力衝突が起こる。関東軍はモンゴル兵を追って越境して追撃。これに対して、モンゴルと軍事同盟を締結していたソ連軍は反撃し、全滅に近い打撃を与えた。

六月十九日　第二次ノモンハン事件勃発。方面軍の一部兵団は満洲に転進。第一連隊からも一部転進。

六月〜七月　北支那方面軍第二期粛正作戦実施。第一連隊は地区において分散配置を徹底して討伐と粛正工作を実施。

七月二十日　第十二中隊に賞詞を授ける。賞詞はつぎのとおり。

賞詞

第十二中隊

第九中隊森田少尉指揮スル一小隊

右ハ中隊長楠木中尉ノ指揮ニ属シ昭和十四年六月二十六日ヨリ実施セラレタル連隊討匪戦ニ方リ全期八日間毎日二時三時ノ早暁ニ行動ヲ起シ東奔西走昼夜ヲ分タス潜行匪ノ徹底的剿滅ヲ続行シ中隊長ノ積極果敢ナル企図心ト共ニ部下分進合撃宜シキニ適ヒ常ニ志気旺盛ニシテ不屈撓創意ヲ凝ラシ匪情ヲ捜索シテ急襲ニ努メ以テ遂ニ豊潤県東北部山地帯ニ蟠踞シ抗日ヲ事トセシ匪首特務第一大隊長王寶堂並ニ其ノ大隊副官ヲ斃シ又中隊長ヲ捕虜トシ多数ノ兵器弾薬ヲ鹵獲スル等偉大ナル戦果ヲ納メタリ

右ノ行動ハ中隊長ノ適切ナル指揮ト部下将兵ノ旺盛ナル攻撃精神鞏固ナル団結ニ基ク軍人精神ノ精華ニシテ実ニ討匪戦ノ模範トスルニ足ル仍テ茲ニ賞詞ヲ与フ

昭和十四年七月二十日

支那駐屯歩兵第一連隊歩兵大佐

従五位勲三等　本村千代太

八月二十日　この日、天津市街を流れる南運河、白河堤防が決潰、日本租界（居留地）、支那人街が浸水したため、師団命令により、第一連隊は救援、復旧活動のために一部派遣。（九月二十四日復旧、十月五日帰隊）

九月一日　アヘン政策の中心となる傀儡政権である蒙古連合自治政府（蒙疆政権）成立。

支那派遣軍総司令部が南京に設置され、北支那方面軍はその隷下に入ったが、基本的な任務は従来と同じ。

十月〜翌年三月　北支那方面軍第三期粛正作戦。

作戦は太行山脈、潞安周辺等の作戦が主で、第一連隊は警備地区内および周辺に対する粛正征伐を実施。

この年、第二次世界大戦勃発。

昭和十五年（一九四〇年）

一月　この月、陸軍省戦争経済研究班立上げ。

この研究班は、ノモンハン事件を契機として、来るべき米英との総力戦に備えて経済面から各国の戦力等を調査分析し結論を報告するため、陸軍中野学校の創設に関与していた軍務局軍事課長の岩畔豪雄大佐から、満洲国の経済政策に参加していた秋丸次朗主計中佐がまとめ役に命じられたことから、マルクス（主義）経済学を経済分析の科学的手段とかんがえていた有沢広巳東京帝国大学経済学部助教授（共産主義運動に関与していたとして検挙されたが起訴保釈から休職中）や武村忠雄慶応義塾大学経済学部教授など学派をこえた経済学者たちや政情調査のための政治学者、統計学者、地理学者たちなど広範囲な専門家や官僚が集められた。研究班は、対外的には「陸軍省主計課別班」という名称をもち、通称名は「秋丸機関」だった。

三月三十日　南京に、対日協力政府（傀儡政権）である汪兆銘（汪精衛）の中華民国政府（汪政権）成立。

四月十日　高浜宇治男上等兵ほか十四名は、北支冀東方面の警備の間、糧秣輸送護衛の途上に敵襲を受けたが、これを撃退して任務を達成した。これに対し、賞詞を授ける。賞詞はつぎのとおり。

賞詞

右ハ昭和十五年二月十四日、興城鎮駐屯隊糧秣集積ノ目的ヲ以テ部下十三名通訳一名、支那側県警備隊十五名ヲ率イ台車三十五台ヲ護衛シツツ未明遷安ヲ出発、至厳ナル警戒ヲ為シツツ興城鎮ニ向イ前進中ナリシカ偶々、翌十五日十一時過、二道撥子西方張邦峪、五虎山ノ両　高地ヨリ突如、共産匪約三百名ノ急襲ヲ受ク護衛長ハ毫モ動揺スルコトナク直チニ巡警四名ヲシテ急ヲ羅家屯ニ告ケシメ機ヲ失セス、部下主力ヲ部署シテ二道撥子北方高地ヲ占領シ強靭ナル意志ト適切ナル指揮ニ依リ良ク部下ヲ掌握シ、部下又長ニ信頼シテ一致団結死力ヲ竭シテ防戦ニ努ムルモ敵弾益々猛烈ヲ極メ巧ニ接近シ来レリ

十六時頃、急報ニ接シタル香川部隊（香川軍曹以下七名、支那側警備隊二〇名）ノ来援アリテ共ニ激戦ヲ継続中、敵約五〇名ハ糧秣奪取ヲ断念シ退却スルノ已ムナキニ至ラシメタリ

本戦闘ニ於ケル護衛長以下ノ行動ハ難局ニ方リ沈着剛膽克ク軍人精神ヲ発揮シテ皇軍ノ真価ヲ遺憾ナク発揚シ遂ニ糧秣護衛ノ重責ヲ全フシタルモノニシテ真ニ衆ノ模範トナスニ足ル仍テ茲ニ賞詞ヲ与フ

昭和十五年四月十日

本村部隊長　本村千代太

五月六日～十四日　第一連隊は地区内で第一期粛正討伐作戦を実施。

六月　敵の妨害工作を未然に防ぐため、第一連隊は主要道路の整備と、各駐屯地に監視用望楼の構築を実施。

二十七日　南満洲鉄道株式会社調査部の抗戦力調査委員会の代表者たちは、参謀本部と陸軍省で報告会をおこない、支那事変は軍事的解決ではなく、政治的解決（日本軍の撤退）が残されていること、日本が英米と敵対すると近代戦としては困難になることなどが報告されたといわれる。

七月　第一連隊は各中隊に対し、自転車の銀輪部隊編成を下令。第一連隊は五月から湖北省の宜昌を中心におこなわれていた宜昌作戦に一部派遣。

天津に近い薊県蒙家鄭付近での第三中隊の戦闘などあり。

この月、満洲国ハルビン郊外（現・黒竜江省ハルビン市　平房区内）に、軍医の石井四郎が指揮する関東軍防疫

給水部本部（満洲七三一部隊）の新本部施設完成。

八月一日　本村陸軍歩兵大佐は、北支那方面軍司令部高級副官・副官部の長（北平　現・北京）。方面軍の主要幕僚となる。

九月二十七日　日独伊三国軍事同盟締結。

三十日　内閣総理大臣直轄の総力戦研究所設立。

戦争経済研究班が軍によるものとすれば、こちらは政府関係であり、総力戦にかかる調査研究や教育訓練のために官庁、軍、民間などから選ばれた若手の研究生たちで構成。

いわば人材育成を目的とした教育研修機関であり、「秋丸機関」の秋丸次朗は所員として講義もおこなっている。

この年、南満洲鉄道株式会社調査部は、前年度におこなわれた「支那抗戦力調査報告」を十分冊として刊行。これ以前には中間報告会もおこなわれている。このなかで、前年九月、十月に書かれた総篇の第三部「世界情勢の新段階と支那事変」では、極東におけるイギリス、フランスの力が弱まったことと対照的に、第二次近衛内閣の成立によって日本の南進政策が確立したが、この南進政策の最大の障碍は支那の対日抗戦であり、また南進に向かうときには英米の太平洋上の利益と基本的に対立すると記しており、アメリカとイギリスの動向についての調査結果にもとづいて、つぎのように推測している。

現在の英米が日本の南進を阻止しようとするとき、両国の武力を除いて英米ソの提携以外にはない。併し現実は独ソ不可侵条約があり、ソ聯は世界戦争に対しては中立政策を堅持してゐる。従つてソ聯を世界戦争に捲き込む如き英米ソの三国提携はあり得ないが捲き込まれない範囲における対日牽制としては支那事変を共同で援助する以外はない、これはソ聯の国策の重要な一部と相通じてゐる。

事実、従来まで支那事変の中には米ソの客観的な提携が存在してゐるのである。三国同盟の支那事変に対する客観的な目的は、その威力によつて極東における英米の勢力に重大なる圧力を加へること、同時にソ聯のか、る英米との接近を阻止しようとしてゐることにある。併し英米が支那の抗戦を援助するとき、それがソ聯にとつて不利であることはないし、また反対するところはない。併し現在の英米は決して無条件的な対支援助、対ソ接近ではない。対独戦の長期化に対する或る程度の自信と世界資本主義の最後の牙城として英米の自負とがこの接近を阻止してゐる。従つて対支援助も対日牽制に中心が置かれ、専ら支那の親英米派を指嗾して、太平洋における英米合作の軍事的措置に順応せしめるための対日支那の利用である。(『支那抗戦力調査報告』「支那抗戦力調査委員会昭和十四年度総括資料(一―調査の方法論及び総結論)」より)

十二月七日　高度国防国家体制の完成に資するための統制経済における企業体制などについて定めた「経済新体制確立要綱」閣議決定。

この原案は企画院審議室が作成し公表したが、原案では企業の利潤を国家に寄与させるために資本と経営を分離するような内容があったために、財界は猛反発した。同じように反発したのが実業家として名を馳せていた商工大臣の小林一三だった。もちろん旧体制の元老たちからも批判があがった。また、企画院の調査研究員として、満鉄調査部や興亜院、戦争経済研究班などと同様、マルクス主義からの転向者(主に労農派と呼ばれていた者たち)が多数在籍して、経済の新体制を推進する岸信介たちなどの革新官僚や軍部の人間とも懇意にしていたこともあって、「観念右翼」と呼ばれていた者たちからも、資本家階級の打倒を企てているとみなされ、結局は「適正ナル企業利潤ヲ認メ、トクニ国家生産ノ増強ニ寄与シタル者ニ対シテハソノ利潤ノ増加ヲ認ム」というように折衷的な内容になっていた。

(つづく)

＊主な参考文献については、次回に一括して掲載します。

後記

きれぎれの感想……コロナ禍、近畿財務局職員の死

菅原則生

①　（五月九日記）

「為政者」ではなく「被為政者」としての個人からみると、自分にそれらしき症状があって、新型コロナに感染しているかどうかを確認し、治療を受けるための「ＰＣＲ検査」を受けたいというのは切実で自然な欲求だ。だが不可解なことにいっこうに検査が拡大されない。これがだいいちの疑問である。

　大多数の個々の個人は、自分にそれらしき症状があったら、まず初めに近所の医者に電話するか、感染症だから保健所に電話するわけだが、近所の医者は管轄外だとして、保健所へ電話することを勧めるだろう。そこで保健所に電話しても、「帰国者・接触者相談センター」に電話しても、電話が殺到しているためにつながらない。そして「四日間ルール」というのがあって、「三七・五℃以上の熱があっても四日間は自宅で様子を」みることを強いられる。しかし平熱は人によって違うし、悪化のスピードも違うから、四日のうちに悪化してしまうことは大いにありうることは素人でもわかる（もちろん、幸運にも軽症のまま治癒してしまうこともあるだろう。大半が無症状で知らずに治癒しているという情報もある。自分が幸運な部類に入るのか、悪運の部類に入るのかは自分では決められない）。悪化した果てに救急車を呼んでも、感染症が疑われるために、受け入れを断られ、たらい回しにされる。じじつ、悪化して入院して

すぐに死亡した、容体が急変し路上で死亡していた、入院待ちをしているあいだに悪化して死亡した、陽性かどうかもわからず自宅で堪えているあいだに死亡した、という報道が散見される。二、三の著名な芸能人の感染の果ての死亡もこのなかに入ると思う。こうした「検査」を受けられずに「四日間」様子を見て堪えていたがための死は想像以上に多いと思う。これが「被管理者」の側からみた現実だ。

「PCR検査」を増やす必要はないという意見を、インターネット上から任意に拾って引用してみる。

――治療法がない中で、それでも検査をする目的を教えてください。

これまでは海外の流行地域への渡航歴や滞在歴のある人や、感染者との接触者を中心に検査を実施して来ましたが、その目的は封じ込めでした。国内でヒトからヒトに広がらないようにするために、陽性者を洗い出して入院させて、初期の段階で芽を摘んでしまおうという考え方だったのです。

しかし、現在はあきらかな渡航歴や滞在歴、患者との接触歴のない感染者が発生しており、検査の目的が「封じ込め」から重症化しそうな患者（あるいはすでに重症な患者）を早く見つけて死なせないことに変わってきています。

COVID-19の患者だということが分かった段階で、試すことが可能な治療法について検討し、経過を予測しながら、重症度に応じて輸液や酸素療法、血圧を上げる薬などをつかって生命を維持できるようにサポートします。

軽症な方は殆ど何もしないで治っていきます。

――現状で、無症状の人、軽症の人に検査をやる意味は薄いとされていますね。検査の目的が変化しているからですね。

封じ込めを試みていた段階が終わりに近づいていますし、陽性と分かっても治療法（＝できること）がないからです。今は資材や医療スタッフ、時間などの限りある医療資源を重症者のために優先的に使う必要があります。

今後は病院でも検査ができるように準備が整えられていますが、すべての病院で実施できるようになるわけではありません。

このような中で無症状あるいは軽症な方にまで検査を拡大すると、重症な患者さんの検査が後回しになる恐れが生じます。

（バズフィードニュース、二月二十六日配信）

質問も答えも特に固有名詞をあげるほどの個性はないように思う。どこからか天下ってきた、パターン化されたフレーズを述べているにすぎない。答えているのは厚生労働省の審議会の委員を務めていた感染症の公衆衛生の専門家で、厚生労働省・医務技官が発表している指針をそのままなぞっているものだ。質問者は個性がなく、無意識のうちに厚生労働省の指針に賛同している。つまり、どちらも無意識のうちに啓蒙者の立場に立ち、「不安だから検査してほしい」という公衆を衆愚だと見做している。

これまでは（二月二十六日時点）中国など特定地域からの感染者の流入を個別に潰していけばよかったが、すでに経路不明の感染者が市中に増えはじめている、だから限りある検査キットや病床や医療器具、医療従事者などの資源を有効に使うためにも、検査・加療を重傷者に限るべきであり、そして、軽症者や無症状者までむやみに検査を拡大すると、重傷の患者が後回しになってしまう、とこの専門家は言っている。また、質問者もそれに初めから同意している。ほかにも、「感染しても治療法がない」「検査の精度が良くない」など、「検査を拡大しない」理由を挙げている。だが、これらは全て倒錯であり、「医療資源」が足りなくなるから医療をしない、「医療崩壊」するから感染者を抑えるといっているに等しい。目の前に患者がいるから医療する、のが順序であって、医療崩壊するかどうかは別の問題であり、医療崩壊が予測されるのであれば、事前に資源を準備しておけばいいだけのことだ。問題は、なぜ医療資源を前もって準備しないのか、できないのかだ。「検査拡大→医療崩壊」という関係妄想が初めからあって、発想が即座に飛躍してしまう。そこに癒しがたい病があると思う。

四月二十八日時点での各国のPCR検査数は、OECD発表によると、人口千人あたりで、日本一・八、韓国一一・七、ドイツ二五・一、アメリカ一六・四となっている。

武漢で新型コロナウイルス肺炎による死亡が確認されたのは一月初め、武漢が封鎖されたのは一月二十三日。

乗員乗客三七一一人のクルーズ船ダイヤモンドプリンセスが横浜港に寄港・停泊したのは二月三日。五日に、一〇人の感染確認、十日には計七〇人の感染確認。十九日には全員の下船が始まっている。二月二十三日時点での感染者は計七一二人。

安倍晋三が小・中・高校の三月二日からの休校を発表したのは二月二十九日。

WHOが世界の「パンデミック」を発表したのは三月十一日。

三月二十四日、安倍が東京五輪の延期を発表した。

四月上旬、感染爆発の様相を呈する。院内感染、医療用マスク・防護服・消毒液などの資源が不足しているという報道が相次ぐ。

なかば傍観者として眺めていての感想をいえば、いったい「国」はこの間、何をしてきたのか。無為無策でぽかーんとしていたとしかみえない。たんに無能、無政府状態というよりも、「国」は地域住民からみて桎梏以外のなにものでもなくなっている。

五月四日、矢面に立ってきた政府専門家会議の副座長・尾身茂は、PCR検査が拡大されなかった理由について、見ぐるしい弁解を述べている。

尾身茂副座長はPCR検査の体制について「今のままでは不十分だと、専門家はみんな思っている」として、「最低でも一日二万件までいく必要がある」と指摘。

日本でPCR検査が拡充されなかった理由について以下の六つを挙げた。

(1)帰国者・接触者相談センター機能を担っていた保健所の業務過多

(2)入院先を確保するための仕組みが十分機能していない地域もあった

(3)地方衛生研究所は限られたリソースの中で通常の検査業務も並行して実施する必要がある

(4)検体採取者および検査実施者のマスクや防護服などの感染防護具などの圧倒的な不足

(5)保険適用後、一般の医療機関は都道府県との契約がなければ検査を行うことができなかった

(6)民間検査会社などに検体を運ぶための特殊な輸送機材が必要だった

（ハフポスト、五月四日配信）

ようするに、医療資源のキャパシティがあって、それを前提において、それを無視して検査すると、即座に病床が足りなくなるなど、ほかの病気治療もできずに医療崩壊するから検査を抑えたということだ。つまり、医療崩壊を回避するために、目の前の患者または伝染病罹患が疑われる者を追い返したということになる。わたしたち大多数の「管理される者」は、医療資源の増強・準備→医療崩壊の回避→無条件の検査拡大という順序で思考するが、「管理する者」の思考では、検査拡大→医療崩壊という思考の順序になり、まずは医療資源の増強・準備ということに思考が向かわない。そのことが不可解なのだ。

だがこれは、尾身茂の個人の倫理の問題ではなく、古来の日本の「制度」の病の問題だということだ。

②（五月十一日記）

四月末、ニューヨーク市で、予約なしでPCR検査と抗体検査が実施されたという報道がある。

新型コロナウイルスの検査態勢を拡充するニューヨーク市では、事前予約なしにPCR検査や抗体検査を受けられる。三〜五日で結果が分かると聞き、四月二十九日、マンハッタン中心部の医療機関「City MD」を訪れた。

タッチパネルで名前、性別、生年月日を入力するなど必要な登録を十分弱で終え、徐々に混み合う建物内で空席を挟んだ椅子に座って待つこと約十五分、名前を呼ばれて診察室に入った。

医師には、二月に三八度超の熱とせきが出たが、回復後は体調に問題はないと説明し、「抗体があるかどうか知りたいので抗体検査を受けたい」と伝えた。医師からは「感染の有無を調べるPCR検査も受けた方がいい」と勧められた。

（読売新聞オンライン、五月六日配信）

待ち時間は十五分ほどで、三日後にオンラインで結果がわかるそうだ。

いっぽう、東京では仕組みが複雑でわかりにくい。東京都のHPによると、自分に症状があって心配なら「かかりつけ医」または「保健所」「新型コロナ受診相談窓口」に電話して、問診の末に（ここでほとんど弾かれてしまう）、「PCR検査センター」または「新型コロナ外来（帰国者・接触者外来）」を受診し、ここで医師が、高熱や肺炎の兆候があって検査の必要ありと判断したらPCR検査へと進むことになるようだ。

四月上旬、わたしの知人が三七度以上の熱が一週間つづくので検査を受けたいのだが検査を受けられないと言ってきた。最近では三八度以上の熱がないと検査されないらしいと言う。試みに、保健所と新型コロナ相談窓口に電話してみたが、何度しても話し中でつながらなかった。

わたしは杉並区にすんでいるのだが、区の広報（四月十七日発行）をみると、杉並区は三カ所の「発熱外来センター」を開設し、「かかりつけ医」や「保健所」を介さずにここですぐにPCR検査をできるようにした、と書かれている。だが、よく読むと、『帰国者・接触者電話相談センター』に電話したうえ疑わしいと判断された場合にしか診療できない。予約なしでは受診できない」と注意書きが書かれている。ようするに、自分で疑わしいと判断して「発熱外来センター」に直接行くのはダメだということだ。地域住民の利便性が向上したようにみえるが、ほとんど変わっていないのと同じだ。

この、ニューヨークと東京の違いは何なのだろう。簡略にいえば、地域住民の「自由度・利便性」の違いだ。公的機関は地域住民の自由・利便の優先性をつねに意識し、地域住民は自分たちの自由・利便を利するために公的機関は存在していると意識している、いわば社会の共同の意識・無意識が築かれているということだと思う。もちろん、実際のニューヨークやドイツの首都がどうなっているかわたしは知らないし、ほんとうのニューヨークは惨憺たるもので、単なる憧れかもしれない。だが、この空想はわるい空想ではない。そんな社会があったらいいなという近未来の「理想」に近いものだ。偽の「公共的なもの」が解体して、わたしたち地域住民のところまで限りなく降りてきた社会の「理想」なのだ。

別の言い方もできる。本来、自由であるべきものが、なぜか日本の場合、制約がつきまとう。ニューヨークでは検査を受けるのに「許可」は必要ないし、本人の自由意思によるのだが、日本では公的機関の「許可」が必要になるということだ。これはとても深刻な問題（倒錯）を引き起こす。一刻を争う生命の危機があるのに、公的機関の「許可」を得るために前時代的な幾つもの無意味な書類をつくっているのに似ている。

そして、この公的機関の「許可」（天下り制度）が日本の根本的な「秩序」をかたちづくっている。つまり、「管理する者」は地域住民を俗・愚だとみなし、「統制」したがっているのだ。

③（五月十八日記）

太宰治は『駈込み訴え』で、キリストを裏切るユダの極限の心理をかいている。始め、キリストのためなら死んでもいいというほどキリストを敬愛し憧憬していたが、しだいにキリストから自分は疎まれ、嫌われているのではないかという猜疑心に囚われるようになる。そしてついに、キリストを殺して自分も死のうと思うようになる。

わたしはこの物語を、三人以上の共同性の物語というふうに読む。

始めに、キリストやペテロ、ユダたちは漠然とした掟（法）のようなものをつくり、共同性をむすび、沈黙の親愛・敬愛でむすばれていたが、あるときからしだいに矛盾が兆していく。きっかけは何でもいい。ユダだけがキリストの共同性に桎梏を感じたからかもしれない。集団から、なぜかユダだけがはじかれていく。これはユダの心理・性格がそうさせているのではなく、三人以上の共同性が必然的にはらんでいる問題だとわたしは理解する。だから、ユダにとりたてて問題があったわけではなく、誰でもよかったのだ。あるときユダは、共同性の心理に侵犯する行為をしてしまう。そして、ユダは集団から鬼畜と見做されてしまう。だが、人間はすべて等価だから、集団から「鬼畜」と見做され、追放されるのはキリスト、ペテロ、ユダたちのうち誰でもよかったのだ。ただ、三人以上の共同性は「鬼畜」を必要としてしまう、ということだけが普遍性なのだ。

ユダはキリストから疎まれ嫌われたわけではない。しいていえば、キリストの共同性から疎まれたのだ。キリストがユダにとって桎梏となったのではなく、キリストの共同性が桎梏になったのだ。いいかえれば、キリストがユダを疎んじたのではなく、キリストの共同性がユダを疎んじたのだ。

ここからわたしは、始めに個々人を等しく利するものだったはずの掟（法）が、ユダという個人にとって桎梏に変質してしまった物語を読み取りたいと思う。もっといえば、当初、集団のメンバーすべてにとって合理的だと思われた掟（法）が、あるとき、特定の者にとって呪縛であり桎梏であるのに、他の特定の者にとっては利益であり合理的であるというふうに、掟（法）が変質してしまった物語を読みたいのだ。掟（法）は、仮象としてすべてのメンバーを等しく利するようにみえ、ほんとうは、特定の個人にとって桎梏であり、他の特定の個人（たち）には利得であることを正当化するものではないか。新約聖書はユダの裏切りを、ユダが銀貨三十枚に目が眩んだせいだと書いているが、ユダを追放するための口実に過ぎない。いいかえれば、キリストの共同性＝党派性＝支配的思想の正当化にすぎない。

死を決意した閉じられた集団が（たとえば特攻隊でもいいし、連合赤軍を思い浮かべてもいい）、追い詰められて瓦解に瀕したとき、あるメンバー（A）が「オレは集団から離脱したい」と言いだしたら他のメンバーは動揺するだろう。「それは卑怯じゃないか」と口ぐちに罵るかもしれない。または、「オレも、うすうすそう思っていた。オレも脱けたい」と言うかもしれない。そして、メンバーAに対するリンチがはじまり、個々人は集団から離脱する機会をこっそりとうかがうようになるかもしれない。

このとき、Aは集団の掟（法）に違反しているわけだが、Aはただ自然を基底として観念をもった人間であろうとしているだけだ。他のメンバーは、「オレが死ぬんだから、お前も死ね。オレが死ぬのに、お前が生きるのは許されない」という論理を行使するだろうが、これはまったく倒錯だ。倒錯の果てに、Aをリンチする口実をつくればいいことになる。

これ以外に、もうひとつの解決法は、集団が一斉に同時に死を決行することだが、これは絶対的に不可能だ。

わたしの考えでは、個々人はすべて「自由」だということにしか、解決は見いだせない。つまり、この場合でいえば、生きるを選ぶことも、死を選ぶことも個人の「自由」だというところまで集団の共同性を解体する（あるいは、集団の共同性が解体された場所をイメージする）ほかにはない。そして、表現、生活はこの「自由」に根拠を置いている。

なぜ、こんなことをいうのかといえば、表現の自由、移動の自由、思想・信教の自由、私的所有の自由などの「基本的人権」を制約するものとしての「公共の福祉」という考え方に疑念があるからだ。憲法一三条にはこう書かれている。

すべて国民は、個人として尊重される。生命、自由及び幸福追求に対する国民の権利については、公共の福祉に反しない限り、立法その他の国政の上で、最大の尊重を必要とする。

「公共の福祉に反しない限り」個々人の「自由」は尊重されるということは、「公共の福祉」に反すれば個々人の「自由」は尊重されないということだ。だが、「公共の福祉」という言葉は、「国家」とか「世間」とか「祖国」というやくざな概念にすぐにすり変わってしまうのが、わが「国」の大きな特質だ。だから、わが「国」では、個人の「自由」を制約することに「最大の尊重を必要とする」もへちまもなく、やすやすと個人の自由を制約してしまう。なぜなら、「公共の福祉」は「国家」という閉じられた系に属する概念であり、個々人の「自由」の上位に位置し、危機に際してすぐに個人の「自由」に覆いかぶさってしまうからだ。

前述のキリストの共同性とユダのエピソードをまつまでもなく、個人の「自由」は、危機に際して「鬼畜」と見做されて排除され、「公共の福祉」が前面にせり出してくる。「公共の福祉」という言葉は、支配者＝管理する者の利益のための方便として使われているに過ぎないからだ。

支配者＝管理する者から見られた「公共の福祉」と、被支配者＝管理される者から見られた「公共の福祉」には、越えがたい深い断絶がある。戦争期・敗戦期の、支配者から見られた現実と、被支配者から見られた現実には、目も眩むような断絶があったようにだ。「公共の福祉」に反しない限りでの「自由」と、「自由」に反しない限りでの「公共の福祉」のあいだにある断絶と同じだ。

個々人の利益に反しない「公共の福祉」とは何かを、立ち止まっていちどは徹底的に考えてみたらいいと思う。

「自粛警察」なるものがいて、自粛要請を受け入れずに営業している店のドアに「営業やめろ」などの貼り紙をする嫌がらせが横行している。佐賀県八女市では四月二十八日、藤の開花が盛りを迎え見物客が大勢やってくるのを避けるため、市は花を刈り取ってしまったという。三重県では四月中旬、感染者の自宅に石が投げ込まれ落書きされた。ほかにも、四月の末に、潮干狩りに行った人、河川敷でバーベキューをした人に非難が集まった。社会の終末を予感させる嫌なニュースだ。

休業要請に応じずに営業を続けているとして、石川県が店名を公表した小松市のパチンコ店で十二日、入り口のドアのガラスが割れているのが見つかり、警察は何者かが、わざと割った器物損壊の疑いもあるとみて捜査しています。

十二日午前十一時ごろ、小松市のパチンコ店で、従業員が入り口のドアのガラスが割れているのを見つけ警察に通報しました。（中略）

このパチンコ店は、休業要請に応じずに営業を続けているとして、石川県が今月九日、新型コロナウイルス対策の特別措置法に基づいて店名を公表していて、警察は何者かが、わざとガラスを割った器物損壊の疑いもあるとみて捜査しています。

（NHK NEWS WEB、五月十三日配信）

どういうことだろう。緊急事態宣言のもとで、パチンコ屋あるいは居酒屋が「自粛要請」を守らずに営業していたとしても、自分がその店で飲み食いしなければいいだけだ。自分はその店で飲み食いしないから、他の人も行くな、ということだろうか。あるいは、他の店が営業を自粛しているのに、その店だけ営業するのは狡いということだろうか。または、自分が店を経営していて、営業自粛しているのに、他の店が営業しているのは狡いということだろうか。

それとは違って、いま店を営業すると、そこを起点に感染が広がってしまうということを危惧しているのだろうか。

前者では、自分の利益と他者の利益が混濁していて、私憤と義憤がいっしょくたになっている。後者の危惧はわからないでもないが、それは為政者がやることであって一民間人がとやかく言うことではない。

店を営業している人は、あす食うにも困ってやむにやまれず営業しているのかもしれない。「お上」の言うことに従いたくないだけかもしれない。それはわからないのだ。

いずれにしても、張り紙をしたり、ガラスを割ったりというのは、何かに取り憑かれているようで、どこか病んでいるとしか思えない。

④（五月二十日記）

四月七日、「緊急事態宣言」が七都府県を対象に、政府から出された（十六日にはそれが全都道府県に拡大された）。これにより、「法」に基づいて各自治体の首長が飲食店等の営業自粛を「要請」でき、地域住民の「外出自粛」を要請できることになった。また必要があれば自衛隊の医療団が出動して医療施設の運営ができるようになり、「要請」に従わなかった店には店名の公表などの「罰」が与えられ、場合によっては「私権」の制限もできるようになった。そして、人と人の接触機会を八割削減することが求められた。四月十五日には厚労省クラスター対策班の西浦博・北大教授が、人と人の接触八割削減ができなければ「四十万人超が感染により死亡する」という予測を発表する。一斉に繁華街から人が消え閑散とした日が続いている。

飲食店等の売り上げが激減し、多くの中小企業が立ち行かなくなっている。四月の外国人観光客が前年から九九パーセント減り、内外の航空便・新幹線客の激減、大企業でも大規模工場の操業休止や大規模な工事現場の休止、大規模な人員削減が伝えられ、経済規模の壊滅的な縮小はとどまるところをしらない。これにより、感染症による死亡だけでなく、明日食うに困った人々が路頭に迷い、自死に追い込まれるのではないかと思いやられる。

「緊急事態宣言」とは、合法的に、全国の津々浦々の地域住民の私権を制限できると「国家」が宣言することであり、これに違背することは「法・国家」にストレートに違背することであり、「背くと身のためにならんぞ」と宣言することだ。また、これに背くと「鬼畜」と見なすと間接的に宣言していることになる。自治体が発するそれとは格段に強制力・拘束力・威圧力が違う。

そして、「緊急事態宣言」に背くことは、感染症の拡大を加速させることだという暗黙の国民規模での強迫観念の合意を形づくった。もちろん、一住民が「宣言」に背くことと、感染拡大は何の関係もない。感染拡大を止め、収束させるのは、一にも二にも、治水灌漑と同等の圧倒的な医療体制の整備・拡充と、緩やかな経済活動の継続しかないのだ。

「自粛警察」の横行に拍車をかけたのが、「人と人の接触を八割削減しなければ、四十万人超が死亡する」という厚労省クラスター班のセンセーショナルな発表だ。この学者先生も善意だが無知だ。これらを契機に一斉に多くの人びとが「自粛警察的な観念」のほうに逆さまになって傾斜していった。

なぜかアジアでは、せいぜいじぶんの庭畑地とか宅地とか、そういうふうなものだけが私有地で、あとは全部共同体所有の土地で、本来は共同体のものだとかんがえた段階で、停滞してしまったのです。たとえば、中国・インドでは数十年の間とどまったままでした。日本でもおなじです。みなさんはもうそうでないとおもいますが、みなさんの父母の代とか、祖父母の代とかだったら、自分の田畑を持っていて、税金を払うのに、なんとなく、これはもともと国家の土地だから払うんだといったいった観念が、頭から抜け切らない人がいたとおもいます。みなさんの父親とか、その父親だったら、たぶんそういう観念の方が一般的だったとぼくはおもいます。そのくらい、つい最近まで、これは天皇の土地だとか、王道楽土だとか、なんか本来は王様の土地なんで、それをありがたく戴いているんだという考えをもっていたとぼくは記憶しています。

そのようにアジア地域では、アジア的農耕共同体の段階のまま数千年過ぎてきたという特徴があります。この特徴は、たいへん重要なものなんです。良いという意味でも悪いという意味でもおおきな特徴でした。

（吉本隆明『アジア的ということ　5』一九八二年初出）

「国家」が発した「緊急事態宣言」に地域住民が一斉にひれ伏してしてしてしまうのは、日本人が「つい最近まで、これは天皇の土地だとか、王道楽土だとか、なんか本来は王様の土地なんで、それをありがたく戴いているんだという考えをもっていた」からだ。「つい最近まで」というのは一九四五年八月十五日までという意味だ。その日まで、土地は王からいただいているものであり、地域住民は王の臣民であった。一億国民は王の命令のもと、アジアの果てまで戦争に出かけ、王が戦争をやめよと命令すれば一夜にして武装解除し帰郷した。いわば、「私」は「公」に掠略されて、王が地域住民に向かって死地に赴けと言えば一斉に従い、戦争をやめて帰郷せよと言えば一斉に従ったのだといえよう。だが、大衆は無矛盾で何ごともなかったかのようにそうしたわけではなく、決定的な何ごとかを抱え込んだのである。

現在、土地や個々の生命が王からいただいているものだという具体的な観念はなくなっているが、目には視えない「アジア的段階」の観念の構造・遺制を強固に引きずっていて、どこからともなくその「構造」がよみがえってくる。わたしたちが目の当たりにしている「緊急事態宣言」による「外出自粛」「営業自粛」「私権制限」と、そのことから派生している様々な出来事はまさにそのことだ。「宣言」に従わなければ「国賊」「鬼畜」と見做され、排斥されてしまう。感染を拡大させているのは「宣言」に対して違背する者、「自粛」を緩めている者になってしまう。

吉本は、大衆が「国家」に過剰に同致し服従してしまう不可解な「構造」について述べている。

> 奇妙といえば奇妙なことですが、本来的に自らが所有してきたものではない観念的な諸形態というものを、自らの所有してきたものよりももっと強固な意味で、自らのものであるかの如く錯覚するという構造が、いわば古代における大衆の総敗北の根柢にある問題だということができます。この敗北の仕方は、充分に検討に価するので、国家といえば天皇制統一国家、という一種の錯誤、あるいは文化といえば天皇制成立以降の文化というふうな錯誤が存在するのですけれども、その錯誤の根本になっているのは、統一国家をつくった勢力の巧妙な政策もありましょうけれども、ある意味で大衆が、自らの奴隷的観念というもので、交換された法あるいは宗教あるいは儀礼あるいは風俗、習慣というものを、本来的な所有よりも、もっと強固な意味で、自らのものであるかの如く振舞う構造のなかに、本当の意味での、日本の大衆の総敗北の構造があると考えることができます。
>
> （『敗北の構造』一九七〇年六月講演）

天皇制統一国家が形成される前後に、国家以前の国家が各地に存立し、その上位に天皇制統一国家が乗っかって覆いかぶさったときの情景がかかれている。このとき大衆は、なぜか、奇妙なことに、在来の共同観念の諸形態（法、宗教、儀礼、風俗、習慣）よりも、新たに覆いかぶさった共同観念の諸形態（法、宗教、儀礼、風俗、習慣）を、より強固に本来の自らの所有であるかのごとく錯覚し、永遠の過去から未来にわたるものであるかのごとく受け入れ、過剰に振舞ったのだという。奴隷が競ってわれ先に「奴隷の主人」になろうとしたかのように、心の動かし方を豹変させたのだといえる。もちろんこのとき、人びとは、旧来の共同観念の諸形態を捨ててしまったわけではなく、自己矛盾は矛盾のままにして、いわば括弧にくくって意識・無意識の底に沈めたのだといえる。

⑤（五月二十日記）

「緊急事態宣言」が出ても出ていなくても、たとえば飲食店やパチンコ屋が営業するか自粛するかは当事者の「自由」だ。また、開いている店に行くか外出を自粛するかは個々人の「自由」だ。「国」がとやかくいうべきことではない。ただ「国」は医療体制を充実させて、それは万全だとわたしたちに安心感をもたらしてくれればいいのだ。ＰＣＲ検査も、コンビニに行くくらい簡単に、受けたいときに何度でもできるようになればいい。そして、刻々と変化する感染者数、その病態、推定市中感染者数、死者数、病院施設の状況など持っている情報を隠さずにすべてを知らせてくれればいいのだ。あとは個々人が考えればいい。飲食店（パチンコ屋）であれば、家賃や電気代などの経費のこともあるから、営業するも休業するも自分で考えればいいし、客は飲食店（パチンコ屋）に行くかどうか自分で考えればいい。伝染病に罹りたい人も罹らせたい人もいないから、おのずから落ち着くところに落ち着いていくだろう。

この考えを推し進めていくと、とても険しい問題にぶつかる。社会の根幹にある秩序を壊すことになるのではないか、ということだ。たとえば、わたしが検査で陽性になったとする。そうすると、伝染病だから隔離入院ということになるが、入院しないという選択肢もある。どちらも「自由」だというのがわたしの考えだ。わたしなら入院すると思うが、他の人もそうすべきだとは言えない。人それぞれに事情があるだろう。たんに束縛が嫌いだというものから、予定があるから、自分がいなくなると職場が回らない、収入を得なければ家族を養えないなどさまざまな事情が考えられる。

実際、四月末に山梨に帰省していた二十代女性が帰省中にＰＣＲ検査を受けたところ（同僚が陽性だったため、濃厚接触者として検査を受けたということのよう）陽性の結果が出て、そのことを知っていたのに高速バスに乗って東京に戻ったことが問題になり、大変なバッシングに遭っているという報道があった。

この二十代女性は「他の人に罹ってもかまわない」「他の人に罹らせようとしている」と考えているのではないかと、世間から想像され、世間の人びとに被害感が走ったことになる。だが、これは邪推だ。この女性にどんな事情があったのかは誰にもわからない。そのことが重要だ。この女性が愚かであり、野蛮であり、ウイルスを撒き散らしているというふうに、心を走らせてしまうことが問題なのだ。また、この女性を愚と捉えることが衆愚なのだ。

自分が陽性だとわかったとき、すぐに入院するかしないかは、ただ内発的にそうしたいかどうかだけにかかっている。それ以外の強制力によって内発的な意思を遮断することには何の意味もない。

「自由」であることは解放的でもあるけれども、とても怖いことでもある。悪鬼に苛まれることになるかもしれない。

偽の「公共性」をかたってすべての雑多な「自由」を歪曲しないこと、「自由」が人びとに定着することと、コロナ禍が収束することは同義であるように思う。

⑥（九月七日記）

五月に入って感染者数はしだいに減り、五月二十五日に全国の緊急事態宣言が解除された。二十九日には航空自衛隊のブルーインパルスが東京の上空を飛行した。名目は医療従事者への感謝を表すもの。これを機に「ああ、やっと終わった」という解放感がTVなどで前面に出てくる。安倍首相は「日本ならではのやり方で、わずか一カ月半で今回の流行をほぼ収束することができた」と会見でのたまわった。TVはアナウンサーが「わたしたちのステイホームという忍耐が報いられた」などとしゃべっている。そして、街には人出が徐々に見られるようになった。神社には「コロナ終息祈願」の幟が立っている。

何か強い違和感を感じる。この空気感は七十数年前の敗戦直後のニセの「やっと戦争が終わった」という解放感と同じではないかと思う。人びとの顔には、たしかに自分は助かったという安堵の表情と、心から解放されたとは思えない戸惑いの表情がかいま見える。

感染拡大と緊急事態宣言によって街から人影が消え、「自粛警察」が横行し、パチンコ店や風俗店が標的になった。陽性者は白眼視され、ドラッグストアからマスクがなくなり、医療従事者に防護服が行き渡らず、熱があっても検査を受けられず、入院すべき症状が出ても移送先がなく、人びとは右往左往し、混迷のなかに突き落とされたのである。首相は「日本ならではのやり方で収束できた」という自惚れの自画自賛をした。わたしたちは、為政者との現実に対する感度の違いに今更ながらに愕然とする。

六月、七月と、収束しかけたかに見えた感染は七月半ばから再拡大が起こり、八月初めには東京で一日あたりの感染者数で四月のピーク時の二倍になる五〇〇人に迫った。無症状であること、若者が中心であることが特徴だという。この間、政府はGO TOキャンペーンなる前代未聞の旅行の勧めを莫大な予算を投入して推し進め、失笑を買うチンケなマスクを各家庭に配った。

政府は肝腎なことは何もしなかったのである。二月のクルーズ船DP号での感染のときも政府は「疫学調査」と称して、この「天災」によって、どれだけ感染するか、どんなふうに感染するかを観察していただけだ。そして、それ以降、個々人の行動の自粛・節制を求めてきただけだ。

　さいわいなことに、八月の半ば以降東京では感染者数は減りつつある。アメリカ、ブラジル、インドなどでは現在も感染拡大が続き、死者は一国だけで十万〜二十万人というオーダーだ。なぜ、日本・東京がそれほどの感染爆発が起こらなかったのかはわからない。これから三波、四波がやってくるのかもしれないし、ワクチンが開発されて行き渡り、治療法が確立して新型コロナウイルスもインフルエンザウイルスのように恐れなくてもよくなり、コロナ禍は沈静していくのかもしれない。

　新型コロナウイルス感染拡大を止めるのは、繰り返しになるが、大規模な治水・灌漑工事と同じように、住民の希望があれば、いつでも、何度でも、どこでも、ＰＣＲ検査が受けられる大規模な体制が構築されることだ。陽性者が希望すれば、即座に治療を受けられ、無症状ならばちょっと離れたところで二週間ほど生活し、その間の生活費も支給されるということが、共同社会によって支持され、定着することだ。公共体が検査を「許可」することでも、「施し」を増大することでもない。

　ＰＣＲ検査抑制派がいることも知っている。だが重要なのは、検査を希望する者が無条件でそれを受けられることであり、自分が希望しないなら検査を受けなければいいだけだ。自分は検査を希望しないから、おまえも検査するなというのは成り立たない。気に入らないのは、検査を希望する者を無知蒙昧であるかのように「啓蒙」していることだ。

　はからずも露呈した貧弱な共同社会の病巣は、何度でも新新型のコロナウイルスを呼び込んでしまうだろう。

⑦（九月十日記）

　二〇二〇年三月、赤木俊夫さんの妻雅子さん、『週刊文春』で夫の遺書を公開。第三者を交えた森友問題の再調査を首相と財務大臣に求める。首相、財務相は「再調査しない」と発言。

　近畿財務局の赤木俊夫さんが遺書をのこして自死したのは、一八年三月七日。その遺書によると…。

　森友学園の学校用地の取得に不正があり、そのことに安倍昭恵夫人が関わっていたのではないかという問題が国会で連日、野党から追及されたのは一七年の二月。二月十七日、安倍首相は「もし妻が森友学園への国有地払い下げに関わっていたなら首相も議員も辞める」と発言。その後の国会で、財務省の理財局長（当時）・佐川宣寿は、近畿財務局と森友学園、業者などとの土地払い下げをめぐるやりとりを記録した文書は「廃棄した」と虚偽の答弁を繰り返す。ほんとうはそれらの文書は保管されていて、その裏で、佐川は部下に命じて、昭恵夫人の関与が示唆される箇所を改竄・削除させていた。「元は、すべて、佐川理財局長の指示」だった。一連の文書改竄の過程は、その周囲にいたすべての役人が「承知」していた。赤木さんは佐川の部下の部下にあたり、自分の行為は「嘘に嘘を塗り重ねる」ことだと知りつつ、その作業に加担した。それに「関わった者としての責任をどう取るか、ずっと考えてきました」。そして、国会で嘘、虚偽がまかり通っていること、そのことに自分は加担しているという悪鬼に苛まれて自死を択んだ…。

時系列をふりかえってみる。近畿財務局が「教育勅語」を標榜する森友学園に不自然な価格で学校用地を売却したのは二〇一六年六月。あまりに不自然な価格であること、昭恵夫人が「名誉校長」を務めていたこと、売却過程が情報開示されないなどの疑問が噴出して、社会問題化されたのが一七年二月。二月十七日、安倍首相が国会で「妻が土地売却に関わっていたなら、議員も首相も辞める」と発言、そして森友学園の籠池理事長を「しつこい」と貶めるような発言。佐川理財局長が土地売却の交渉記録はすべて「廃棄した」と証言（その裏で文書の改竄・削除を実行）。森友学園の籠池理事長が国会に喚問されたのが三月二十三日。ここで籠池理事長は昭恵夫人には懇意にしてもらったこと、土地取得にも力になってもらったことを証言。その後、佐川理財局長は国税庁長官に昇進。佐川の部下だった太田充が理財局長に昇進（現在は財務次官）。

一七年七月、籠池夫妻、「補助金不正受給」で逮捕（四〇〇日の勾留ののち保釈、二〇年二月、夫は五年の実刑、妻は執行猶予の判決。現在上訴、保釈中）。

一八年二月、太田理財局長が「改めて近畿財務局で確認したところ文書の存在が確認された」として改竄された文書を開示。

一八年三月七日、赤木俊夫さん自死。三月九日には佐川、国税庁長官を辞任。三月二十七日、佐川、国会に証人として喚問される。文書の改竄に触れる点は、「自分に訴追がおよぶこと」を理由に証言をことごとく拒む。

一九年八月、大阪地検に公文書変造などで告発されていた佐川らは全員「不起訴」となる。

言いようのない《権力》の闇を感じる。もっとも悲惨だと感じるのはどこか。官僚・検察の役人たちが、「鉛の兵隊」となって、全体の奉仕者ではなく「一部」の権力者におもねって（奴隷根性を発揮して）競って取り入ろうとしていることだ。周囲の役人・官僚・検察たちは、佐川の国会での発言が「嘘に嘘を塗り重ねる」ことであることをよく知り、赤木さんの自死の原因がなんであるかをよく知りながら、口をつぐんでいることだ。森友学園の小学校用地の払い下げでは、昭恵夫人が「名誉校長」というだけで、破格の値引きが行われた。まるで「神風が吹いたように」払い下げ、「補助金」の話がとんとん拍子で進んだ。

赤木さんが「ほんとうのこと」を告白すれば、その瞬間から自分は生きることが困難になり、職場を追われ、同僚との日常会話もままならなくなり、白眼視されるだろうということは知っていたはずだ。また、告発したとしても、権力者たちには痛くも痒くもないだろう。そして、自分を追い詰めるのはまっさきに自分の近しい同僚たちであろう、ということも。いっぽうで権力者たちは、「きみたちは敗北者なのだから、口をつぐんで、なかったことにしなさい。言うことを聞かないと身のためにならない。自分たちの陣営に入れば悪いようにはしない。争う者は和を乱す者であり、公共性に反する暴徒だ」というふうに切り崩しを図ってくるだろう。

これらの《秩序》に異をとなえることは単独ではほとんど絶望に近いことを、すべての人びとは無意識のうちに知っている。

では、「ほんとうのこと」に口を噤んでいる同僚たちは『良心』が痛まないから口を噤んでいるのだろうか、あるいは、不誠実なのだろうか。口を噤んでいる「大衆」は、権力者の横暴・圧政を許してしまっているという論理は成り立つのだろうか。しかるがゆえに、権力者の横暴・圧政に盲目的に服従している大衆を啓蒙しなければならないという論理は正しいのだろうか。

吉本は、自身が組合長として関わった一九五〇年代の労働争議で、最終盤で同僚・組合員が会社側の切り崩しに遭って会社側に寝返った体験を述べている。このときも、次の日からみんな相互によそよそしくなり、ひそひそ話がはじまり、日常会話さえできなくなってしまったと述べている。同僚たちは、自分たちが会社側に寝返ることで、吉本が会社にいられなくなることを知ったうえでそうしたのだ。そのころの詩で吉本は《ぼくは秩序の敵であるとおなじにきみたちの敵だ》（「その秋のために」）と書いている。

また、六〇年代のどこかでやった講演の質疑応答で水俣病の問題に触れて、工場から川に有毒物質が漏出し、それが病気を誘発していることをチッソの会社の技術者たちは初期から知っていたはずだ、それを言い出せなかったことが根本にあるひとつの問題だったといっている。

どういうことかといえば、会社側に寝返った同僚たちも、「ほんとうのこと」を言い出せなかったチッソの技術者たちも、個々の良心が弱かったのではなく、彼らが「ほんとうのこと」をいえば明日から生きていくことが困難になってしまう国家と社会の支配の根本に問題があるということだ。

香港では表現、信仰、思想、結社の「自由」を求めて大勢の学生と大衆が行動している。それに対して中国・香港政府は武器と棍棒を持った「鉛の兵隊」を出動させて鎮圧している。では、わが日本国の「鉛の兵隊」（ファシズム）は、武器と棍棒の代わりに何を持っているのか？「ほんとうのこと」を言えば明日から生きていくことが困難になってしまうということのちょうど裏返しとして、「ほんとうのこと」を言うことは秩序を乱すことだという、ほんとうは自己保身・私的利益にすぎない「偽の公共性」が、観念の伝染病のように貧弱な共同社会を覆っている。その「偽の公共性」が、わが日本国の「鉛の兵隊」を形成しているのだといえよう。